D1258618

L'ÉTREINTE DE VÉNUS

SI VOUS DÉSIREZ RECEVOIR
NOTRE CATALOGUE
COMPOSEZ
à Montréal : 282-0373
à l'extérieur de Montréal,
sans frais : 1-800-361-4345

LES ÉDITIONS QUEBECOR
Une division du Groupe Quebecor Inc.
225, rue Roy est
Montréal, H2W 2N6
Tél. : (514) 282-9600

Distributeur exclusif
AGENCE DE DISTRIBUTION POPULAIRE INC.
955, rue Amherst
Montréal, H2L 3K4
Tél. : (514) 523-1182

YVES THÉRIAULT

L'ÉTREINTE DE VÉNUS

CONTES POLICIERS

L'ÉTREINTE DE VÉNUS

L'énorme statue de marbre, une excellente copie de la célèbre *Vénus de Milo,* dépassait de la tête et du buste un homme bien planté. Et Ricard n'était qu'un petit homme maigrelet, et racorni.

Plus encore, maintenant. Plus encore, car il gisait, tristement insignifiant, la tête broyée, sur le parquet. Il est des hommes comme des fourmis de Dieu. Sous la masse brutale, ils sont écrasés impitoyablement.

La statue était tombée d'aplomb sur l'homme, précisément, comme si la chute en avait été méticuleusement réglée et calculée.

Morin supputa les chances. Avec Gravel, il examina le piédestal de la statue, puis la statue elle-même, dans tous ses détails, comme s'il espérait trouver, en quelque angle secret, en quelque repli caché, la réponse au mystère. Une statue ne tombe pas ainsi sans accomplir de ce fait un geste pour le moins extraordinaire. On peut supposer bien des choses, pour la plupart nettement désagréables...

Morin scruta donc, et Gravel de son côté. À deux, c'était couru, ils trouveraient peut-être quelque chose. Rien de ce qu'ils virent ne leur sembla intéressant.

— Sauf, dit tout à coup Gravel, ceci que je te montre...

Un doigt tendu. Mais c'était d'expliquer l'inexplicable. Et de passer par le Kamtchatka pour aller à Longueuil. De la poussière sur les bords du solide piédestal et, derrière la statue, un espace bien propre, grand comme un demi-mouchoir.

Morin, chef de l'escouade, et donc chef de Gravel, n'avait pas l'esprit dominateur, ce besoin d'accaparement pourtant commun. La découverte lui plut. Elle lui plut grandement. C'était évidemment un point de départ dont on ne savait où il menait, mais il vaut mieux avoir un indice qu'on ne sait comment traiter, que pas d'indices du tout. Une enquête ne se mène pas en complet vacuum.

— Pourquoi ? demanda Gravel. Pourquoi nous intéresser à ceci ? J'admets l'avoir découvert, mais je n'y croyais pas vraiment.

Il garda son air soucieux qu'il avait depuis l'instant où ils avaient été convoqués d'urgence au musée des Beaux-Arts.

— Pourquoi ? répéta-t-il.

— Parce que, répondit Morin, même si nous n'y comprenons rien encore, mieux vaut découvrir quelque chose de mystérieux que rien découvrir du tout.

C'était le commencement de la sagesse. De la détection sublimée. On n'y saurait objecter des arguments de bonne logique. Mis en mémoire, ressorti en temps utile, le fait pouvait servir.

Sur un socle poussiéreux, un espace bien propre, grand comme un demi-mouchoir de poche. Propre comment ? Propre pourquoi ? Qui avait accompli le nettoyage ? Par quel moyen ? Quel objet avait reposé là ? Et dans quel but ? Mais ils n'allaient pas en rester là. À tant chercher, à tant scruter, le sort voulait qu'autre chose survienne.

— Ceci ? dit Gravel, fier de son deuxième trophée.

Dans le dos de la statue, un endroit collant, petit, qui ne se décelait pas à l'œil nu.

— Nous verrons bien, dit Morin.

Maintenant, l'escouade se mettait à l'œuvre.

— On peut tout bouger ? demanda l'un des hommes.

— Oui, allez.

Que trouver d'autre ? Salle de musée déserte. Une statue tombe, écrase un visiteur. Accident ? Crime ? Sûrement pas un suicide. Il vaut toujours mieux n'avoir que deux hypothèses au lieu de trois.

— Allez, soupira Morin, nous avons vu le peu qui était à voir.

Il emmena Gravel avec lui.

— C'est moins drôle, dit Gravel. Nous voilà en pleine détection théorique.

— Souviens-toi de la méthode, dit Morin. D'abord l'acte physique du crime. Puis, l'histoire de la victime. Ensuite, les mobiles possibles.

— Et si c'est un accident ?

— Nous verrons bien, répéta Morin.

Le musée compte vingt gardiens, quatre étages, de nombreuses salles. Il y règne une paix et un silence ! Mais il y a des recoins et pour autant qu'on y peut aimer l'art, on y peut aussi haïr les hommes. Les haïr assez, peut-être, pour qu'ils meurent ? Le chef des gardiens était trop bouleversé pour paraître intelligent.

— Que savez-vous ? demanda Morin. Vous n'avez rien vu, rien entendu ?

— Rien.

— C'est donc si désert, ce quatrième étage ?

— Il y a Marbeau qui surveillait là. C'est lui qui a découvert l'accident.

La voix lui chevrotait, il tremblait. Un musée est un temple du Beau. Les cadavres à la tête écrabouillée

9

y figurent mal. Un gardien de musée n'est pas un gardien de prison. Du moins, pas dans le sens qu'il aurait fallu pour bien accuser le coup.

— Marbeau, fit Morin, où est-il ?

Un gardien plus jeune, les yeux sombres, les gestes sûrs et rapides, s'approcha.

— C'est moi.

— C'est vous qui avez découvert le cadavre ?

— J'ai entendu tomber la statue. J'étais dans la salle voisine. J'ai couru. Il était trop tard, évidemment. À mon avis, il a été tué sur le coup.

— Mais avant, vous n'avez rien remarqué ?

— Non.

— Je veux dire : la statue. Pour tomber, il fallait des conditions spéciales. Est-ce qu'elle n'était pas solide sur son piédestal ?

Un autre gardien s'avança.

— Je ne sais pas qui est la victime. Je veux dire que je ne sais pas son nom. Mais c'est un habitué.

— Sûr, dit le gardien-chef. Je le connais, moi.

— Ah ?

— Avec la tête comme il l'a, dit Gravel, il eût été mon frère que je ne l'aurais pas reconnu.

— C'est un critique d'art, dit le gardien-chef. L'un des grands. Il travaille pour un quotidien du matin.

Il lança un regard vers le jeune gardien Marbeau.

— Je suis surpris que vous ne le connaissiez pas.

— Voulez-vous dire Hewson ?

— Oui.

— Je le connaissais... de nom surtout. Très peu en personne.

Un gardien resté derrière toussa soudain. Dans le silence du hall central, cela fit un énorme son, semblat-il. L'un des détectives de l'escouade arrivait.

— Voici ce que nous savons, dit-il.

Il avait tout consigné dans un calepin de notes.

— La victime, un dénommé Hewson, est un critique d'art. De là-haut, j'ai téléphoné à une artiste que je connais. Hewson était très dur, très acerbe. Il n'était pas aimé.

— Premier point, dit Gravel.

— Peut-être le seul, fit Morin songeusement.

— Il a été tué, continua le détective, sur le coup. La statue est tombée sur lui directement, comme si elle avait voulu le prendre dans ses bras.

— Mais elle n'avait pas de bras, commenta Gravel.

Morin eut un étrange sourire.

— L'étreinte de Vénus, dit-il. Elle est souvent trompeuse.

Le gardien-chef reprenait un peu ses esprits.

— Cette statue était exceptionnellement solide sur son piédestal. Comment a-t-elle pu tomber ?

— Il n'y a pas d'empreintes, dit le détective. Nous avons tout couvert. Rien sur le socle, rien sur le corps de la statue. Hewson, apparemment, n'a pas pu parer la chute. Il a été pris complètement par surprise.

On en était là.

— Vous n'avez vu personne ? demanda Morin à tous les gardiens. Ceci est très important. Vous n'avez vu personne avec Hewson aujourd'hui ? Personne près de lui, ou dans son entourage ?

— À onze heures du matin, dit le gardien-chef, il n'y avait que Hewson dans tout le musée, et nous, les gardiens. Personne d'autre.

— Vous êtes sûr ?

— Oui.

— Personne ?

— Personne.

Morin était soucieux. Gros homme, grand, visage fabriqué à la hache, des plans à angle, des yeux perçants, des poings comme des assommoirs. Gravel, plus mince, plus subtil, aux gestes plus rythmés, un regard placide ne révélant jamais la pensée. Et pourtant, l'un comme l'autre plongés dans la réflexion.

— Le contenu de ses poches ? demanda Morin au détective.

— J'ai tout ici : une enveloppe brune, scellée.

— Allons, dit Morin à Gravel.

Au gardien-chef, il demanda :

— Il y a un bureau, près d'ici, tranquille, discret ?

— Oui.

Ils y furent menés par un autre gardien plus vieux. Un homme au visage triste, au regard résigné.

— Vous savez, dit-il, dans de pareilles circonstances, l'on hésite à prendre des responsabilités.

— Ah ? Dites toujours. Nous savons peser le pour et le contre.

— Je ne suis pas sûr que Marbeau ait dit la vérité.

— Tiens ?

— J'étais à l'étage au-dessous, moi. Je suis venu près de l'escalier. Marbeau parlait avec Hewson. Ils discutaient. Je ne pouvais rien saisir, mais Marbeau semblait en colère.

— C'est tout ?

— Oui.

— Ce n'est peut-être rien. Dites à Marbeau que je veux le voir.

Marbeau vint, blanc, rageur.

— Qu'est-ce que c'est ?

— Le vieux prétend que vous vous disputiez avec Hewson, au quatrième étage.

— Moi ?

— C'est ce qu'il dit. Naturellement, cela ne cadre plus avec ce que vous disiez, que vous ne connaissiez pas Hewson.

— Le vieux est fou. On va le retraiter d'ici un mois. Il est jaloux des jeunes. Il dira n'importe quoi. C'est sa parole contre la mienne !

— Évidemment !

Une pause. Marbeau semblait inquiet.

— C'est fini, dit Morin, vous pouvez vous retirer.

Morin le suivit jusqu'à la porte, appela du doigt deux détectives de l'escouade qui attendaient ses ordres. Il leur glissa un mot à l'oreille, entra et referma la porte.

— Voyons l'enveloppe, dit-il.

Les objets usuels, billets de banque, menue monnaie, mouchoirs, un porte-cartes, une enveloppe contenant des coupures de journal. Les coupures étaient celles de récentes critiques de Hewson. Morin se carra dans le fauteuil, lut attentivement chacun des articles. Un moment il parut content. Puis il se rembrunit.

— Cela devient fort compliqué, dit-il à Gravel. Et puis, d'un autre côté, cette complexité va peut-être se dénouer en preuve formelle. Je craignais la seule preuve de circonstances, toujours dangereuse pour les innocents.

Il tendit les critiques à Gravel.

— Lis la deuxième, dit-il.

Celle-là assommait, démolissait avec une façon et une acerbité extraordinaires l'œuvre de deux nouveaux peintres. Le premier était une jeune fille, Colette Daunon, dont Hewson disait qu'il eût mieux valu lui faire apprendre le métier de cordonnier. Quant au deuxième, il avait l'extraordinaire qualité d'être un gardien de musée ayant décidé de s'adonner à la peinture. Il s'appelait Octave Marbeau !

Il n'en fallait pas plus. Gravel exultait.

— Qu'y a-t-il de compliqué là-dedans ? C'est Marbeau qui l'a tué !

13

— Oui ? Tu ne trouves pas ça trop simpliste ? Et puis, le garçon a l'air intelligent. Tel qu'il aurait commis ce meurtre, inévitablement nous le faisions pendre sur la seule preuve devant nous.

Morin soupira.

— Tu sais, méfie-toi des choses qui sont tellement évidentes qu'elles ne laissent rien de plus à l'imagination. Vois-tu, nous tenons le mobile. La méthode du crime, je crois qu'elle sera facile à deviner. Mobile, occasion, méthode... Les Anglais disent des choses comme celles-là, *it's too down pat*...

— Et alors ?

— Le vieux gardien dit avoir entendu Hewson et Marbeau discuter. Remarque, c'est probablement vrai. Ce que je veux savoir, moi, c'est le temps écoulé entre la discussion et la chute de la statue. Il devrait être facile de le situer. Cette statue pèse mille livres au moins, sinon plus. Elle n'est pas tombée sans bruit.

Ils vinrent dans le hall.

— Le bruit qu'a fait la statue en tombant, pouvez-vous le situer très précisément ?

Trois gardiens le pouvaient sans hésiter. L'un d'eux regardait justement l'horloge.

— Onze heures dix exactement, dit-il.

Morin prit le vieux gardien à part.

— Vous, à quelle heure avez-vous entendu la dispute entre les deux hommes ?

Le vieux chercha dans sa mémoire.

— L'heure, je ne pourrais pas la dire exactement. Mais je sais ceci. Ils se disputaient, puis leurs voix se sont éloignées, et à peine quelques secondes plus tard, la statue tombait.

— Merci.

L'un des deux détectives à qui Morin avait murmuré quelque chose à l'oreille revenait. Il entraîna Morin vers le bureau. Gravel suivit.

— Et puis ?

— Chef, je n'ai rien sur Marbeau. Il vit seul. Son propriétaire m'affirme qu'il est rangé, de goûts modestes. Il peint durant tous ses loisirs.

— Et le vieux ?

— Lui aussi vit modestement. Il a une fille, mariée à un propre à rien du nom de Victor Daunon.

— Bon ! dit Gravel.

Morin restait songeur.

— Vous n'êtes pas satisfait ? demanda Gravel.

— Allons en haut, sur la scène du crime.

— Il n'est plus question d'accident, n'est-ce pas ?

— Peut-être.

En haut, l'escouade avait terminé. L'on avait emporté le cadavre. Seul le chef du laboratoire était encore là.

— À considérer l'état des rues, demanda Morin, même rendu ici au quatrième étage, il resterait des traces suffisantes sur la moquette ?

— Des traces de quoi ?

— D'un homme qui a marché.

— Oui... C'est du travail délicat, mais l'on peut avoir une idée.

Morin scrutait la grande salle au très haut plafond dans lequel se découpait un toit vitré.

La statue de Vénus occupait un espace libre contre un pan. C'était une salle de curiosités archéologiques. Sur l'autre pan, en face, un sarcophage égyptien et trois momies de petite taille.

— J'avais songé à quelque chose, dit Morin, mais il y avait une sorte d'impossibilité qui n'existe plus...

Il regarda le socle, et derrière le socle, par terre. Sa seule trouvaille fut un minuscule bout de fil blanc, assez grossier, semblable à du fil de trame arraché à un tissu que l'on déchire.

15

Morin partit du socle et s'en fut en ligne absolument droite vers l'autre pan. En même temps, il regardait vers le haut, vers le plafond vitré. Ce qu'il vit sembla le satisfaire, car il sourit. Il ouvrit le sarcophage. Il était vide.

— Tiens ?

— Un vieux truc de musée, dit le chef du laboratoire mobile. L'on conserve la momie proprement dite au froid, et l'on n'expose que le sarcophage fermé.

— Tiens, tiens, répéta Morin. C'est de plus en plus intéressant.

Mais il eut beau fouiller le sarcophage, il n'y trouva rien. Quand il redescendit, il sifflotait. Dans le hall, il jeta un long regard circulaire sur le groupe des gardiens.

— Je veux, dit-il, causer un moment avec Marbeau et...

Il désigna le vieux.

— ... vous.

Dans le bureau, il referma la porte.

Les deux gardiens, un air d'inquiétude sur le visage, observaient le policier. Morin avait des gestes lents, il montrait une complète assurance. Gravel, à ses côtés, conservait un regard impassible.

— Voyons maintenant, dit Morin. Situons les faits. Hewson n'est pas mort accidentellement. Il a été tué.

— Je le savais, gémit le vieux.

— Qu'est-ce que vous saviez, hurla Marbeau en virant sur lui.

Déjà un détective le retenait.

— Du calme, dit Morin. Donc, il s'agit d'un crime. La première chose qui intéresse la police dans ce cas-là, c'est l'entourage immédiat de la victime au moment de la mort. Ainsi, dans notre cas, comme il a été prouvé que Hewson était seul avec les gardiens dans tout l'édifice, qu'il était seul avec vous, Marbeau, lors de sa mort, vous deveniez notre premier suspect, et le plus important.

— Mais c'est complètement idiot !

— D'accord ! Toutes ces choses sont souvent idiotes. Un meurtre est idiot. Il ne règle jamais rien. Surtout de nos jours, avec les méthodes de la police. Ainsi, il nous est possible de déterminer, aujourd'hui, exactement par où Hewson est passé dans la salle. Il est entré au centre. Puis, soudain, il a obliqué à angle droit. Nous pouvons prouver qu'il a ainsi obliqué en voyant la statue de Vénus. Or, un critique d'art n'a tout de même pas à perdre son temps devant la *Vénus de Milo*. Quelque chose a attiré l'attention de Hewson... Ce qu'il a vu, c'est très simple. Quelqu'un avait soulevé l'arrière de la statue, qui penchait ainsi dangereusement vers l'avant. Intrigué, Hewson s'est approché. C'est à ce moment que le criminel, caché dans le sarcophage en face de la statue et de l'autre côté de la salle, a tiré sur un fil et a fait basculer la statue sur Hewson.

Un silence de mort régna dans la pièce. On eût dit que chacun retenait sa respiration. Marbeau, immobile, semblait près de la mort tant il était pâle. Le vieux, lui, fixait Morin de ses yeux perçants. Sa lèvre inférieure tremblait. Il semblait prêt à pleurer.

— Vous m'objecterez, dit Morin, qu'un fil capable de faire basculer cette statue devait être fort, donc assez gros pour être vu... Mais ce n'est pas nécessaire. L'angle de la statue comptait pour beaucoup. Et de plus, il existe aujourd'hui du fil de nylon fin comme un cheveu, capable de tirer un tel poids assez facilement.

Il eut un geste presque joyeux.

— Naturellement, ce n'est pas tout. Le puits de lumière, au plafond de la salle, compte une grande tige terminée en crochet, qui descend assez bas et dont on se sert pour entrouvrir les carreaux, parfois. Le fil n'était pas horizontal au parquet, mais allait passer dans ce crochet, une installation qui comportait quelques risques, mais qui pouvait passer inaperçue assez longtemps pour que le crime soit accompli. Placer la statue en équilibre ne demandait que quelques secondes. Un petit levier d'acier suffisait, et n'exigeait pas une force extraordinaire...

Marbeau protesta.

— Mais c'est impossible. Je n'aurais pas fait ça, moi !

Morin haussa les épaules.

— Dites-moi la vérité. Et rappelez-vous ceci. Si vous me dites la vérité absolue, il se peut que cela vous sauve. Il est exact, n'est-ce pas, que vous vous êtes disputé avec Hewson ?

— Oui, admit Marbeau après un temps d'hésitation.

— Et ce, quelques secondes seulement avant que Hewson passe dans l'autre salle et se fasse tuer par la statue ?

— Oui.

— Vous passiez vos matinées dans le hall en haut de l'escalier, Marbeau ?

— Oui.

— Vous n'alliez jamais dans les salles ?

— Non. Pourquoi ? Quand il n'y a personne...

— Et l'on connaissait vos habitudes à ce sujet ?

— Oui.

— Il y a des escaliers à l'arrière, n'est-ce pas ?

— Oui.

— Maintenant, je vais vous rassurer complètement. Une chose prouve hors de tout doute que vous n'avez pas tué Hewson. Vous mesurez six pieds, Marbeau, vous n'auriez pu vous cacher dans le sarcophage...

Le vieux gémit.

— Évidemment, c'est vous le coupable, lui dit Morin. Je le sais depuis un moment déjà, Hewson a violemment attaqué votre fille, Colette Daunon...

— Colette Daunon ? s'exclama Marbeau. C'est votre fille ?

— Oui, répondit Morin pour le vieux. Et il a conçu ce crime. J'aurais peut-être de la pitié pour lui. Je l'aurais ressentie s'il avait joué le jeu loyalement. Mais il a surtout cherché à vous faire condamner, Marbeau... Il a commis son crime de façon que vous soyez le premier soupçonné... Par chance, j'ai eu l'intuition que tout était trop évident, que vous étiez trop intelligent, aussi, pour commettre un crime dont on vous imputerait immédiatement la responsabilité... Alors, j'ai fouillé un peu. J'avais découvert l'endroit où un coin avait été inséré pour incliner la statue. J'avais découvert aussi l'endroit, au dos de la statue, où l'on avait collé un ruban gommé. J'ai compris alors qu'un fil avait été placé là, qu'il fut ensuite bien facile d'arracher... Dites-moi, Marbeau, vous avez vu le cadavre en tout premier lieu ?

— Oui. En entendant la chute, je me suis précipité.

— Et ensuite, qu'avez-vous fait ?

— J'ai couru dans le hall, je suis descendu un palier et j'ai crié aux autres gardiens, en bas, de venir...

— Voilà exactement ce sur quoi le vieux comptait. Et quand vous êtes revenu, est-ce qu'il était là ?

— Oui. Il a dit qu'il avait entendu la chute, d'en bas, et qu'il était accouru par l'escalier arrière.

— Voilà. Il était dans le cercueil quand vous êtes venu. Vous avez donné l'alerte, alors il est sorti, il a vitement retiré son fil, et le ruban gommé, ainsi que le coin. Je crois que si on le fouille, ces objets seront trouvés sur lui.

19

Et c'était vrai. Ils y étaient. Il y avait aussi le manuscrit d'une critique à paraître, signé par Hewson, où de nouveau Colette Daunon se faisait attaquer, ayant osé protester auprès de la direction du journal employant l'expert.

Le vieux avait prévu que cet article serait écrit, et il avait tué Hewson peut-être plus encore pour empêcher la parution de ce deuxième article que pour se venger du premier. Il fut pendu, naturellement, car il n'avait aucune circonstance fortuite à invoquer...

LA MORT DE LESLIE

Le trappeur avait une barbe de deux mois. Il tremblait et avait peine à marcher. Dehors, ses quatre chiens hurlaient au vent, parce qu'il leur venait des senteurs d'aliments et qu'ils étaient à demi morts de faim.

Le sergent Croydon, de la Gendarmerie royale, un sourire étrange sur les lèvres, semblait ne pas entendre les cris des chiens, non plus qu'il se préoccupait du trappeur appuyé contre la porte, les yeux hagards, les vêtements raidis de glace.

— Tu mens, Bricart, tu mens, et tu le sais aussi bien que moi !

Mais l'homme secouait la tête, le visage tout à coup empreint d'une immense frayeur.

— Je vous dis que c'est vrai, sergent. Je vous dis que Leslie s'est suicidé, là, devant mes yeux.

Le sergent se leva, contourna son pupitre, traversa l'étroit bureau où ronronnait une fournaise à l'huile. Le vent s'acharnait après le poste, une maison basse, au toit à grand angle, qui avait été construite sur un mamelon dominant les dix ou douze maisons formant ce village, l'un des derniers hameaux civilisés de l'Ungava avant de rejoindre les grandes glaces du Nord.

Debout devant le trappeur, il déclara doucement :

— Je t'ai toujours pris pour un homme intelligent.

21

Pourtant, tu arrives ici et tu me racontes une histoire à dormir debout. Leslie s'est suicidé ! Non, mais elle est bonne !

Il vira sur ses talons, alla s'asseoir sur l'une des chaises placées contre le mur.

— Raconte encore, dit-il. Je veux que tu te rendes compte toi-même de ton erreur.

Mais le trappeur tremblait de tous ses membres. Il avait jeté ses mitaines glacées par terre. À la lueur crue de la lampe à gazoline, ses traits hâves lui donnaient une apparence de squelette. Ses yeux étaient incroyablement creux. S'il avait quarante ans, il en paraissait soixante.

— Je... je... je... je vous jure... s-s-s-sergent !...

Mais impitoyable, le sergent, la jambe croisée, le regardait avec ce même sourire.

— Les peaux de Leslie, tu les as ?

— Il... a f-f-f-fait une mauvaise... chasse. Il n'en avait que qu-qu-qu-quelques-unes.

— Et toi ? demanda le sergent.

— Moi ?

— Tu as fait bonne chasse ?

— Oui...

Un nouvel effroi se dessina sur le visage du misérable chasseur.

Il répéta :

— Oui... ou-ou-oui... Une vraie bonne chasse...

Le sergent eut un petit rire sarcastique. Le vent rugit et hurla contre la cabane de bois rond, solidement ancrée sur une fondation de pierre.

Dans un coin de la pièce, le haut-parleur d'un puissant transrécepteur radiophonique craquela.

Le trappeur jeta un regard implorant vers le policier.

— Laissez-moi m'chauffer... Laissez-moi m'approcher de la fournaise.

Mais le sergent secoua la tête.

— Non, dit-il, je veux que tu me racontes encore une fois cette aventure.

Il se leva de nouveau, marcha jusqu'à une table au fond de la pièce, tourna un micro vers le trappeur, ajusta les bobines d'une enregistreuse et tourna le bouton. Le murmure doux de l'appareil sembla énorme dans le silence de la pièce. Le vent s'était calmé un moment dans le soir de tempête. Les chiens ne hurlaient plus. Ils s'étaient probablement creusé un trou dans la neige où ils dormiraient, résignés à leur sort.

— Raconte, commanda brièvement le policier.

— J'vous dis que c'est la vraie vérité du Bon Dieu ! Leslie était comme fou depuis deux jours. Y voulait s'battre. Y disait toutes sortes de choses qui avaient pas d'sens.

Le trappeur tremblait moins. Il observait le policier avec des yeux anxieux pendant qu'il relatait l'épisode.

— Ça faisait deux jours qu'on marchait. C'était en r'venant, ça. On était dû icitte au quatrième jour. Mais la tempête a pris pis on s'est campés pour attendre que ça s'passe. Mais plus ça allait, plus Leslie parlait drôlement. Pis avant-hier, y s'est mis à crier que c'était fini, qu'on s'f'rait dévorer, qu'on allait périr, pis tout ça que j'vous disais tout à l'heure. Avant que j'aie pu l'arrêter, y s'est jeté sus un des pack-sacks qu'on avait à l'entrée du camp de branches, pis y'a sorti la bouteille de poison pour les loups, pis l'a toute bue devant moi. Y'é mort dans dix minutes. Y'a renvoyé, y s'est tordu, pis y'a couru en rond, mais y'é mort tout d'un coup. Tombé raide à terre.

— Un camp de branches, dis-tu ?

— Rien qu'un abri. Une manière de brise-vent.

— Vous aviez un feu là-dedans ?

— Not' p'tit poêle sterno, oui.

— Pas de feu de branches ?

— Non. On était pour s'tenir dans nos sacs de couchage, pis avec le sterno, c't'ait ben assez.

— Et le poison était dans un havresac ?

— Oui. Dehors, dans la sleigh. Leslie s'est jeté d'sus, pis...

— Oui, je sais, interrompit le sergent Croydon. Je sais.

Il fit une légère pause, regarda Bricart en plein dans les yeux.

— Depuis quand chassez-vous le loup avec du poison ?

Le trappeur haussa les épaules.

— On peut changer de manière...

— Ouais ?

— C'est nouveau de c't'année, mais...

— Minute, coupa le sergent, minute ! Tu n'es pas le type d'homme pour changer ta manière de chasser le loup. Et je puis le prouver. Depuis vingt ans que tu trappes, tu as toujours capturé tes loups au piège. L'an dernier, tu avais deux cent soixante paires d'oreilles, et tu as expédié à la ville autant de peaux. Tu as nourri tes chiens aux carcasses de loup tout l'hiver et une partie du printemps. Tu te rends compte !

— Oui, mais...

— Non, Bricart... Ça ne colle pas...

Il traversa la pièce, rangea Bricart d'une solide poussée et ouvrit la porte du poste.

Un moment, il combattit le grand vent sonore qui emplit la pièce, puis il réussit à sortir, marcha trois pas jusqu'à la sleigh du trappeur encore devant la porte. D'un geste que l'habitude rendait inconscient, il tâtonna, trouva le ballot de grandes peaux, l'enleva en un tournemain et le porta dans le poste.

Le trappeur, appuyé contre le mur maintenant, n'avait pas bougé. Il regardait fixement le policier, qui referma la porte, jeta le ballot par terre, en défit l'attache, en tira à lui l'une des peaux de loup. Il la souleva, bien à la vue, étendue et visible sur toute sa surface.

— Voilà, dit-il, regarde, Bricart.

La fourrure qui avait recouvert l'une des pattes était déchirée, déchiquetée.

Le trappeur eut un gémissement.

Le sergent Croydon jeta négligemment la peau sur le ballot.

— Premier mensonge, dit-il.

— C'est pas ben important, protesta le trappeur. J'ai ben pu changer d'idée rendu sus mes lignes, là-bas.

— Disons, admit le sergent, disons... Mais reste une autre chose, la plus importante.

Il s'avança et vint se placer devant Bricart, le visage à deux doigts du sien.

— Cesse de me mentir, dit-il entre ses dents. Je veux une confession.

— Me confesser de quoi ?

— D'avoir tué Leslie.

Le trappeur eut un cri de rage.

— Je l'ai pas tué !

— Tu l'as tué, cria le policier. Tu l'as tué, tu t'es emparé de la plupart de ses peaux... L'année prochaine, tu pourras... non, tu aurais pu t'emparer de sa jeune et jolie femme, pas vrai ?

— Non, cria le trappeur.

— Oui !... Je t'ai fait raconter ton histoire deux fois, Bricart. Et chaque fois tu as répété justement ce qui va te faire pendre. Je veux que tu admettes ton crime, parce que tu es perdu d'avance. J'en ai assez pour reconstituer le crime en entier, et très probablement te faire pendre en temps et lieu.

— J'ai marché deux jours de temps, avec le cadavre sus ma sleigh, pour le ramener icitte. Un gars qui est inquiet de ses actes, un gars qui est pas innocent, y fait pas ça.

— Tu as cru jeter de la poudre aux yeux...

Le sergent eut un rire bref :

— Vous étiez en pleine tempête. Ici, il faisait trente-cinq en bas... Un matin, le mercure est descendu à quarante-deux... La bouteille de poison, une bouteille de liquide, tu comprends, était dans un havresac, dehors, et vous n'aviez qu'un poêle sterno pour vous réchauffer, plus vos sacs de couchage. Et tu vas me faire croire que Leslie a pu, en un seul geste, boire une bouteille de poison qui était exposée à un froid de trente-cinq en bas, au moins, en plein vent, sur une plaine de neige ? Bricart... Bricart, me prends-tu pour un idiot ?... Et, de plus, tu avais apporté la bouteille pour empoisonner Leslie, pas pour tuer des loups. La preuve est dans le ballot de peaux. Tu les as tous pris au piège, tes loups.

Le trappeur était blanc. Sous la barbe, le visage crasseux, il était effroyablement pâle. Il essayait de parler, mais ne le pouvait pas...

— La femme de Leslie était avec toi dans le complot ? demanda le sergent. Je ne serais pas surpris que vous ayez machiné cette affaire à deux. Leslie qui devient fou en pleine chasse, sur la neige, dans une tempête, qui boit le poison apporté pour chasser les loups... Vous vouliez vous débarrasser du gêneur ?

Le trappeur cria tout à coup !

— Non, non, elle était pas là-dedans... C'tait mon idée...

Le sergent Croydon eut un large sourire de satisfaction. Il prit l'homme par le bras et le mena vers la chaise.

— Assieds-toi, dit-il. Raconte.

— J'voulais l'ôter de dans mes jambes. J'ai pensé de l'empoisonner avec le poison pour les loups. De faire croire que le froid pis l'soleil sus à neige l'avaient mis fou... Ça fait que... vous savez l'reste...

— Tu as mis le poison dans ses aliments ?

— Il l'a bu dans son thé...

Le sergent Croydon prit les menottes dans un tiroir, les plaça autour des poignets de Bricart.

— Tiens, dit-il, tu vas coucher au chaud, dans une cellule.

L'un des chiens hurla de nouveau, dehors, et le vent lui répondit. Le haut-parleur appela :

« *Croydon, Croydon at Post 45. Calling Croydon... Come in, Croydon...* »

LE BAHUT DE PALISSANDRE

— Ainsi que l'affirment tous les criminologistes, déclara pompeusement le sergent Leclerc, seul le crime parfait est sans mobile.

Le lieutenant Morin vida tranquillement sa tasse de café, appela la serveuse et se fit remettre l'addition. C'était midi et le restaurant était plein. Assis devant lui, Leclerc, stupéfait, le regardait bouche bée.

— C'est tout ce que tu trouves à dire ? demanda-t-il à la fin.

— Mais oui.

— Je viens de te donner la solution du crime de la rue Heldon.

— Ah, oui ?

— Certainement. Le seul coupable est un homme sans aucun mobile !

— Et comment en arrives-tu à cette conclusion ?

— La ménagère de Gabriel Verdan nous apprend que son maître a été tué. Cet homme n'a que des amis. Personne n'a été vu ce soir-là dans la maison de Verdan ou autour. Je veux dire : personne que la ménagère pouvait reconnaître, et elle a passé la soirée à la fenêtre à guetter son mari qui ne rentrait pas. Il n'y a pas d'entrée à l'arrière et le mur est impossible à escalader.

— Rien n'est impossible.

— Disons... Mais Verdan n'avait que des amis. Il était riche, mais n'avait aucun héritier, pas même sa ménagère. Nous savons que la femme n'a pas quitté la fenêtre, parce que Verdan avait embauché un détective privé pour surveiller sa maison. La ménagère ignorait donc qu'elle était observée. Nous savons donc que personne n'est entré, que Verdan a été tué, que la ménagère n'a pas bougé de la fenêtre... Et comme c'est un crime parfait, je crois que nous perdons notre temps à chercher, parmi les connaissances de Verdan, quelqu'un qui aurait eu un mobile, une raison sérieuse de le tuer. En conclusion, ce crime a été commis par quelqu'un qui n'a aucun mobile, donc qui restera toujours introuvable. Classons l'affaire.

Le lieutenant Morin riait de bon cœur.

— Toi, mon vieux Leclerc, tu as des éclairs de génie. Je ne demanderais pas mieux que de classer l'affaire, mais figure-toi que je tiens absolument à trouver la solution. C'est presque le problème de la chambre close, tu te rends compte ? Selon mes renseignements, non seulement personne ne semble avoir de mobile, mais personne n'est entré dans la maison... Or, un fantôme ne tue pas, si tant est qu'un fantôme puisse exister. Il ne tue pas, c'est sûr, d'une balle de revolver en plein front... Et le bruit de ce revolver ?

— Un silencieux sur le canon.

— Quand même. La ménagère était dans le hall, à deux pas. Et il n'y a qu'une fenêtre dans la pièce où Verdan a été tué. Une fenêtre qui donne sur la rue. La ménagère ne quitte pas son poste. Le détective surveille. C'est fascinant !

Il paya la serveuse, se leva et fit un signe à Leclerc.

— Viens.

— Où allons-nous ?

— Questionner de nouveau la ménagère.

— Nous perdons notre temps.

— C'est à voir.

La femme était en pleurs, ses mains tremblaient.

— Ce pauvre homme, qui a pu le tuer et comment ?

Leclerc, boudeur, se tenait près de la fenêtre. Il avait, pour sa propre satisfaction, visité de nouveau toutes les pièces de la luxueuse maison. Par une bizarrerie d'architecture et à cause des voisinages à l'arrière, les fenêtres ne commençaient qu'au troisième étage. Le reste était un mur plein, de pierre lisse. Dans la cour, en bas, un voisin de droite gardait deux énormes molosses. C'était l'entrée des marchandises d'un chic commerce de fourrure. Les chiens servaient de gardien. Personne n'eût pu entrer dans cette cour, y dresser une échelle et monter. Le seul aboiement des chiens eût ameuté le quartier. Restait l'avant... mais là aussi la surveillance était complète. Et la maison était mitoyenne des deux côtés. Aucune possibilité de passer inaperçu devant, aucun moyen d'entrer derrière... Un vase clos, un lieu étanche, inexpugnable.

Devant la fenêtre, le sergent rageait. Morin, lui, observait la femme.

— Dites-moi, vous continuez à jurer de ne pas avoir bougé de la soirée ?

— Mais oui.

— Même pas pour un seul instant ?

— Pas pour un seul instant, je le jure !

Il changea de tactique, se fit plus conciliant, plus doux, plus amène.

— Il ne s'est rien passé dans ces derniers temps, ici, dans la maison ? Je veux dire : en rapport avec monsieur Verdan ?

— Mais non.

— Comment vivait-il ?

31

— Bien calmement. Il aimait s'asseoir ici, avec tous ses vieux meubles.

Le salon était garni d'exquis mobilier antique, de plusieurs époques. Chaque pièce était de prix inestimable.

— Racontez-moi sa journée, une journée typique.

— Monsieur se levait toujours vers neuf heures et prenait son petit déjeuner sur le toit. Il y a fait aménager une terrasse.

— Oui, j'ai vu.

— Là, il lisait son courrier et les journaux. Vers onze heures, il descendait ici. Il s'assoyait dans ce grand fauteuil près de la table et il lisait. Dans l'après-midi, un de ses amis venait.

— Lequel ?

— Jamais le même. Il en avait plusieurs.

— Continuez.

— Ils jouaient une partie d'échecs tous les deux. Monsieur dînait à six heures, mais il ne mangeait pas à midi. Vers dix heures du soir, il montait à sa chambre.

— Il ne recevait jamais personne le soir ?

— Non.

— Et vous êtes sûre qu'il ne s'est rien passé de différent, quelque chose qui sortît de l'ordinaire, ces derniers jours ?

— Rien d'important. Monsieur a vendu un de ses meubles, mais il en est arrivé aussitôt un autre pour le remplacer. De temps en temps, il vendait un meuble comme ça à l'un de ses amis.

Morin la regardait, l'air songeur.

— Quel meuble ? Le dernier, celui dont vous parlez ?

— Un bahut, qu'il appelait ça. Une sorte de meuble haut sur pattes avec des portes sculptées. Dans le temps, il devait être beau, mais il était bien vieux.

Monsieur était autour des déménageurs tout le temps qu'ils ont été ici. Il avait peur à la casse.

— Évidemment... Et à qui a-t-il vendu le meuble ?

— Je m'en souviens parce que j'ai porté une lettre chez ce monsieur-là. C'était la facture, je pense, parce que ce monsieur a mis un gros paquet de billets de cent dollars dans une enveloppe et il me l'a remise pour que je l'apporte à Monsieur.

— À peu près combien ?

— Quatre ou cinq mille dollars, sûrement.

— C'est tout ?

— Oui.

Dehors, Morin se tint un moment au coin de la rue, les yeux dans le vide.

— Tu es plus avancé ? railla Leclerc. Les déménagements de meubles de Verdan, c'est un indice ?

— Un bon détective, répliqua Morin sèchement, n'a pas le droit de rejeter même ce qui ne lui apparaît pas important.

— Oh, ma mère !

— Tu peux te moquer ! C'est peut-être une fausse piste, mais j'ai bien le droit de l'apprendre par moi-même, tu ne trouves pas ?

La ménagère avait inscrit le nom de l'acheteur sur un bout de papier. Vincenzo Rolla habitait une rue cossue de la montagne. Il était chez lui.

— Je voudrais voir, dit Morin, après s'être présenté, ce bahut que vous avez acheté de Verdan.

L'homme sembla se raidir. Il pâlit, puis devint rouge.

— Pourquoi ? demanda-t-il sèchement.

— Je suis curieux, c'est tout. C'est mon droit.

Rolla haussa les épaules.

— Qu'est-ce que cela vient faire dans votre enquête ? Je suis prêt à répondre à toutes vos questions... Le bahut, je l'ai revendu.

— Ah ? Si vite ?

— J'avais déjà un acheteur et je pouvais réaliser un profit important.

— Combien l'avez-vous payé à Verdan ?

— Quatre mille. J'ai souvent acheté des choses de lui pour les revendre.

— Tiens ? Il en vendait souvent ?

— Assez. Il achetait beaucoup par catalogue d'antiquaires et, naturellement, il manquait toujours d'espace. Il vendait les pièces qui avaient cessé de lui plaire.

— Comme ce bahut ?

— Oui.

Leclerc furetait dans le hall, ajustait sa cravate devant le miroir, jetait un coup d'œil par les portes ouvrant sur les pièces en pourtour.

Morin s'aperçut que Rolla surveillait nerveusement les gestes du sergent.

— Donc, vous n'avez plus ce bahut ici ?

— Non.

— De quelle époque était-il ?

— C'était un meuble français, signé Boulle. Un bahut de palissandre... Si je vous le décrivais...

Il regardait Morin de haut, d'un air méprisant, comme s'il estimait qu'un policier ne peut connaître les maîtres anciens et les valeurs d'antiquités de certaines pièces.

Morin soupira.

— Viens, dit-il à Leclerc. Ne dérangeons pas ce monsieur plus longtemps.

Ils sortirent et, dans la rue, Morin maugréa.

— J'aurais dû me procurer un mandat de perquisition. Je suis sûr que Rolla ment.

— Moi aussi, mais pour d'autres raisons.

— Comment cela ?

— Il y a, dans un fumoir à côté du hall, un bahut signé Boulle, en palissandre. Ses deux portes sont sculptées.

— Alors Rolla mentait ! Le bahut est là ! Mais pourquoi me dire qu'il l'a vendu ?

— Parce qu'il ne veut pas que tu le voies.

— D'accord, mais pourquoi ?

— Ah, ça...

Morin marchait rapidement, du talon. Ils reprirent leur voiture stationnée plus bas, dans la côte.

— Et maintenant que nous avons ajouté un mystère à un autre, que faisons-nous ? demanda Leclerc. Moi, je boirais un café.

— Allons au Centre.

Là, il y avait plusieurs rapports sur le pupitre de Morin. Le médecin légiste confirmait que la mort avait été instantanée et qu'elle avait été causée par une balle de calibre 22 — ce qui était surprenant — tirée dans la tête, presque à bout portant.

— Avec un silencieux, conclut Morin. Il ne pouvait bien viser, alors il a tiré de très près...

— Mais qui est cet « il » dont tu parles avec tant d'assurance ?

— Quelqu'un. Celui qui est entré dans la maison et a tué Verdan.

Un autre rapport concernait le testament de Verdan. Il révéla un fait sensationnel. Verdan n'avait pas le sou. On le croyait riche, il n'avait rien. Rien autre que ses meubles antiques.

— Ah, ça, dit Morin, voilà que c'est intéressant...

— Je ne vois pas, dit Leclerc. Je ne vois pas du tout.

— Non ?... Peut-être... Tu parlais de mobile. Verdan ne prêtait pas aux mobiles que provoquent habituellement les riches. Pas d'héritier, personne qui pouvait vraiment profiter du crime...

— Et comme il était pauvre, il y en avait un ?

— Oui, il y avait un mobile... Je ne sais pas lequel exactement, mais cela commence à se dessiner un peu dans mon esprit.

Malgré ses protestations, Morin entraîna le sergent.

— Le détective privé, dit-il. Je crois qu'il est intéressant celui-là.

L'homme était dans la quarantaine, grassouillet, replet. Il mangeait des cacahuètes, les pieds bien installés sur son pupitre, dans un bureau minable qui sentait le moisi.

— Qui vous a chargé de surveiller la maison de Verdan ?

— Verdan lui-même.

— Vous a-t-il dit pourquoi ? Je vous conseille de ne rien me cacher. La tournure que prend mon enquête ne vous est pas du tout favorable. Vous avez tout intérêt à dire la vérité.

L'homme verdit. Il retira ses pieds du pupitre, posa le sac de noix, se leva et s'avança vers Morin.

— Je n'ai pas l'intention de vous mentir. C'est Verdan lui-même qui m'a engagé. Il avait reçu des menaces. Il savait que personne ne pouvait s'introduire dans sa maison par l'arrière, mais il voulait que je surveille l'avant. J'avais instruction d'entrer immédiatement à la suite de n'importe quel visiteur et de le suivre dans le salon de Verdan...

Morin sourit.

— Bon, le dessin se forme de plus en plus... Quelqu'un pouvait-il savoir que vous étiez en surveillance ?

— Verdan m'a bien dit que nous étions les seuls à le savoir et que je devais garder le secret le plus absolu.

— Et pourtant, dit Morin, quelqu'un est entré dans cette maison à votre insu et ce quelqu'un a tué Verdan.

— C'est impossible, affirma le détective. Si quelqu'un était entré ou la ménagère ou moi l'aurions vu. Cette femme a passé la soirée entière à la fenêtre. Je la voyais comme je vous vois.

— Vous avez beaucoup de clients dans ce quartier ? demanda Morin.

— C'est la première fois que j'y mets les pieds.

— C'est étrange...

— Non... Je fais surtout des causes de divorces. C'est la première fois depuis dix ans que j'ai un cas de surveillance comme celui-là.

— Venez, dit Morin. Nous allons à la maison de Verdan.

— Pourquoi ?

— Vous verrez.

L'homme se redressa, soudain réticent.

— Non, dit Morin, ne vous en faites pas. Vous êtes exonéré du crime. Pas de la responsabilité qu'il amène, mais du crime lui-même.

Intrigué, l'homme le suivit.

Au coin de la rue où se dressait la maison de Verdan, le lieutenant Morin stoppa l'auto. Il se trouvait là un comptoir de repas légers, un petit « restaurant du coin ».

— Allons prendre un café, dit Morin.

La serveuse était affable et souriante. Elle salua le détective privé cordialement.

— Trois cafés, dit Morin.

Leclerc l'observait, de la curiosité plein le regard.

La serveuse versa le liquide, posa les tasses sur le comptoir. Elle tendit le sucre au détective privé.

— Si vous mettez quatre cuillerées de sucre là-dedans encore ce soir, dit-elle, j'appelle un psychiatre.

Elle riait à belles dents.

Morin fixait le détective qui soudain devint blanc comme un drap.

— Tiens, fit Morin, il me semblait que vous n'aviez pas quitté votre surveillance un seul instant !

L'homme mit quelques secondes à chercher des mots, mais ne trouvant pas ceux qu'il cherchait, il finit par avouer.

— Mon Dieu, dix minutes. C'est tout. Mais en dix minutes...

— Tout peut arriver, fit Morin, lorsque quelqu'un a de la présence d'esprit et un désir intense de tuer.

Il se leva.

— Pendant que vous preniez ce café, quelqu'un est-il venu téléphoner ici ?

— Euh... oui... oui... je crois. Oui, un homme.

— Vous le reconnaîtriez ?

— Oui, je le crois bien. Je l'ai remarqué d'autant plus qu'il est entré et a déposé sa pièce de monnaie, dans l'appareil sur le mur. Il a composé un numéro et, au bout d'un temps, il a raccroché sans avoir parlé.

— Le circuit était occupé, constata Leclerc.

— Non, fit le détective privé. Il a attendu longtemps. Comme pour vérifier la sonnerie et la réponse. Il avait la main sur le microphone...

— C'est ce que je pensais, dit Morin. Je vous dis que tout devient clair, mais clair d'une façon remarquable.

— Moi, je n'y comprends rien, dit Leclerc. Rien de rien.

Morin les entraîna dehors, puis vers la maison de Verdan.

— Qu'allons-nous faire là ? dit Leclerc.

— Tu verras.

La ménagère répondit à la sonnette brusque du lieutenant de police.

— Encore ? Je vous assure que je vous ai tout dit.

— Je veux savoir une chose, dit Morin. De toute la soirée, le téléphone n'a pas sonné ?

— Oui.

— Vous avez répondu ?

— Oui, naturellement.

— Où ?

— L'appareil de cet étage-ci est dans le salon. Comme monsieur Verdan me laissait toujours répondre, je suis allée en bas.

— Où en bas ?

— Dans la cuisine, en arrière.

— Et puis ?

— Il n'y avait personne à l'appareil. Comme si quelqu'un avait attendu que je réponde pour raccrocher ensuite.

— Vous êtes remontée aussitôt ?

— Je me suis versé une tasse de café. Il y a toujours du café chaud dans le percolateur automatique. Puis je suis remontée.

— En tout... cinq minutes ?

— Tout au plus.

— Et c'est la seule fois que l'appareil a sonné ?

— Non, quinze minutes après mon retour, il a sonné de nouveau et ce fut la même chose. Alors... j'ai décroché... pour ne plus me faire déranger dans ma surveillance...

— Par un hasard miraculeux, dit Morin, notre homme n'a pas vu le détective, parce que celui-ci était à prendre un café. Le meurtrier ignorait sûrement cette surveillance. Mais il a constaté la présence de la ménagère à la fenêtre et il a conçu un plan audacieux. En courant à toutes jambes, il pouvait devancer cette brave femme dans son retour vers le poste de guet. Donc, notre homme savait que la ménagère irait répondre en bas. Il était au courant des habitudes de la maison.

Leclerc s'intéressait davantage. Il commençait, lui aussi, à voir que son chef était sur une bonne piste.

— Reste, dit Morin, le bruit... Madame, dites-moi, vous n'avez entendu absolument aucun bruit de toute la soirée dans le salon ?

— Mon Dieu, aucun bruit hors de l'ordinaire. Monsieur échappait des livres par terre, des fois. Cela faisait un ploc !...

— Bon, dit Morin, c'est tout ce que je voulais savoir. Avec un revolver de calibre 22 muni d'un silencieux, on n'entend qu'un léger ploc !... Tout va bien...

Ils sortirent.

— J'ai tous les fils, dit Morin. Maintenant, il s'agit de les nouer.

Ils prirent congé du détective privé et remontèrent vers la maison de Rolla.

— Pourquoi lui ? demanda Leclerc.

— Je ne sais pas. Je n'aime pas qu'on me mente. Il m'a menti et cela le rend suspect. Je ne sais pourquoi il m'a menti, ni pourquoi il aurait tué Verdan, mais nous verrons bien s'il a les nerfs solides.

Rolla les accueillit avec hargne.

— Vous allez me persécuter longtemps ? Quand je vous dis que je ne sais rien et que je ne puis vous renseigner d'aucune façon.

Patiemment, Morin lui expliqua sa théorie du crime. L'assassin était venu jusque chez Verdan. Il ignorait que la maison était surveillée, mais il joua de chance inouïe car le détective était à prendre un café au restaurant du coin. Voyant la ménagère, il imagina de faire sonner le téléphone pour la forcer à descendre jusqu'à la cuisine, loin en bas et en arrière. Pendant ce temps, il courut. Il avait réussi à se procurer une clé de la porte d'entrée, sûrement, puisqu'il put s'introduire aussi rapidement. Dans le salon, malgré le retour de la ménagère à son poste, il avait tué Verdan d'un coup de revolver dont le canon était garni d'un silencieux. Puis, utilisant le téléphone de Verdan, il avait composé 1191 et avait raccroché aussitôt, ce qui fit sonner l'appareil une seconde fois. La ménagère descendit au sous-sol derechef. L'assassin sortit rapidement. N'étant pas revenu à son poste, le détective ne vit donc pas cette sortie et l'assassin put retourner chez lui, persuadé qu'il avait commis le crime parfait.

— Ou presque, dit Morin. Maintenant, Rolla, pourquoi m'avez-vous menti ?

— Moi ?

— Oui, vous. Le bahut Boulle, vous m'avez dit que vous l'aviez revendu et il est là, dans votre fumoir.

Stupéfait, Rolla regardait tour à tour Leclerc, puis Morin.

— Oui, dit Leclerc, imaginez-vous donc que je connais un peu les choses antiques, et que j'ai très bien reconnu l'époque et le style du bahut qui est dans votre fumoir. Il correspond à la description de celui que vous a vendu Verdan...

— Ah, oui ? cria Rolla. Vous vous posez en expert ? Eh bien ! allez voir... Allez voir de près... Et si vous êtes l'expert que vous prétendez être, vous verrez que c'est un faux. Verdan m'a vendu un faux ! Ce bahut, et quatre autres pièces auparavant. Mais je n'ai découvert le coup que cette semaine.

— Le jour de la mort de Verdan, je gagerais..., dit Morin calmement.

LE CRIME DU CIERGE PASCAL

J'oserais dire, ma chère tante Zoïle, que vous n'a-vez pas du tout raison de m'écrire que j'ai été irrespec-tueux dans mon journal au sujet du crime de ce sacris-tain. Savez-vous que les événements se produisent sans que nous, les journalistes, puissions en décider d'avance le cadre, les acteurs et les mobiles ? Et je vous souligne que mon journal a vraiment traité cette affaire sur le ton qu'elle méritait, sans plus. Peut-être aurait-il dû craindre de choquer les bonnes âmes comme la vôtre ? Pourtant, le fait d'être sacristain ne confère pas auto-matiquement un billet de confession, et vous me com-prenez bien.

Tiens, je crois que je devrais tout vous raconter par le menu. Vous verrez bien qu'il n'y a, de votre part, qu'une tempête dans un verre d'eau et que je n'ai fait, moi, qu'agir en journaliste que je suis, sans plus, et se-lon les règles de l'éthique professionnelle, croyez-moi.

J'ai découvert la chose moi-même, vous le savez. Et par pur accident. Un journaliste est appelé à fré-quenter nombre d'endroits, même les sacristies, et si je suis entré dans celle-là, c'est par surcroît pour des rai-sons toutes personnelles. Cette église est tout près de mon journal et j'allais m'y enquérir de l'heure des con-fessions cet après-midi-là. J'y allais le matin, pour être bien sûr. (Je n'ai pas oublié les bons enseignements qui me furent autrefois donnés.)

Or, quand je suis entré, j'ai vu que le sacristain était penché sur une cuve-évier remplie d'eau chaude. Il y tenait plongé un cierge pascal qu'il cherchait à redresser. Comme je lui ai demandé ce qu'il faisait là, il s'est mis à trembler et m'a crié :

— Mêlez-vous de vos affaires !

Ma tante, foi de reporter étoile que je prétends être, mon sang n'a fait qu'un tour ! Moi, me mêler de mes affaires !... Mais, justement, il y avait, sur le mur, une affiche indiquant l'heure des confessions et j'y ai lu ce que je voulais savoir. J'ai regardé de nouveau le sacristain en espérant qu'il reviendrait à une meilleure humeur, mais il ne disait rien. Il tremblait toujours et, les yeux effarés, il semblait figé sur place.

Je suis sorti, ma tante, simplement parce que, tout intelligent que je sois, un cierge pascal amoché ne me semblait pas digne d'une manchette d'édition finale, si vous me comprenez bien !

Mais au journal, j'en ai parlé avec les camarades.

— C'est gros, un cierge pascal, me dit l'un d'eux, un reporter politique. Ça cogne dur.

— Hein ?

L'histoire, c'est que, dans son enfance, il avait servi la messe. Or, un matin, la bagarre avait éclaté dans la salle des surplis. Un des servants s'était emparé d'un cierge pascal non bénit avec lequel il avait voulu frapper un bagarreur à la tête. Mais il l'avait raté, et le cierge, heurtant une table, s'était plié en deux...

À midi du même jour, le journal était sous presse et je pouvais relâcher les muscles. Façon de dire, car l'image de ce cierge plié me hantait...

Ma tante, quand une chose vous gavouille ainsi la comprenure, que faire... sinon ce que j'ai fait ? Je suis retourné à l'église. La sacristie était vide. Pas de sacristain. Pas de cierge pascal non plus. Personne, en fait. Seulement quelques dames pieuses qui faisaient leur chemin de croix dans la nef.

J'ai ouvert toutes les portes qui n'étaient pas sous clé. J'ai trouvé le cierge pascal avec deux autres, dans une armoire où apparemment ils étaient mis en réserve. Il avait été redressé, avait retrouvé son allure première, mais ses décorations étaient un peu malmenées...

Après un examen minutieux, j'ai découvert qu'il était rouge là où il aurait dû être jaune... vous savez ce que je veux dire, ma tante, ces enluminures qui décorent le cierge... Enfin, quoi, tout cela devenait suspect.

Et j'étais à examiner le cierge en question lorsqu'un prêtre est entré dans la sacristie et m'a surpris là. Je ne suis pas nerveux habituellement et je n'ai pas perdu mon air. Je me suis tout de suite identifié, puis je lui ai raconté l'aventure. Son visage est devenu grave et, tout en me reprochant d'avoir agi en intrus et d'avoir fouillé l'endroit sans permission expresse, il s'en est allé trouver le sacristain.

Ma tante, j'ai agi pour le mieux. Peut-être pourriez-vous me reprocher d'avoir été trop curieux ? N'est-ce pas mon métier ? Et ne suis-je pas justement à l'affût de ces choses ?... Ne suis-je pas payé par mon journal pour en arriver là ?...

Le vicaire — c'était un vicaire — est revenu avec le sacristain qui a pâli en m'apercevant.

— Vous ? s'exclama-t-il.

Cela me prouvait au moins que l'individu n'avait pas la conscience tranquille. Le vicaire, lui, n'a pas pris de moyens détournés. Il est allé tout de suite chercher le cierge et l'a montré au sacristain.

Ah ! ma tante, tout s'est passé si vite, que j'en suis encore tout étourdi. D'abord l'homme, en voyant le cierge accusateur, a poussé un grand cri et il est tombé à la renverse, évanoui. Le malheur, c'est qu'en tombant, il s'est cogné le ciboulot sur l'une des poignées des grands tiroirs à chasubles. Et au lieu de revenir à lui illico, il est resté inconscient.

Mais en entendant le bruit, les dames pieuses qui étaient dans l'église sont accourues. Et un monsieur pieux qui était là aussi. Le vicaire est devenu complètement hors de lui. Les dames se sont mises à crier. Le monsieur, pas très jeune lui aussi, courait en rond et aspergeait le blessé d'eau prise au robinet de l'évier.

Moi, naturellement, j'étais au téléphone — il y en avait un dans la sacristie — et j'appelais la police. Ensuite le vicaire appela un médecin. Les vieilles dames me traitèrent d'assassin et la chose vraiment s'envenimait quand les policiers sont arrivés.

Le médecin les suivait à deux pas.

En fin finale, on a ranimé le sacristain. La police, sévère, l'a questionné, le cierge fut exhibé... Le pauvre homme, en plus du reste, bégayait. Je ne sais s'il bégayait de peur, ou depuis toujours, mais je sais qu'il n'arrivait à s'expliquer qu'avec peine.

Surtout, il montrait l'une des dames du doigt... Et soudain, celle-ci poussa à son tour un grand cri. C'était une grande femme sèche, du genre de ma tante Laure-Emma, la sœur de mon père. Vous savez qui, tante Zoïle ?... Elle vint près de s'évanouir, mais le monsieur pieux, avec son eau de robinet, la sauva de ce grand mal.

Par terre, mort de peur, le sacristain bégayait de plus belle.

Et la dame criait :

— Napoléon ! Il a tué mon Napoléon ! Je le sais ! Il est disparu depuis ce matin et c'est lui qui l'a tué !

Nouvelle tour de Babel, nouvelle confusion, nouvelle hystérie. Jusqu'au vicaire qui criait. Il avait l'air de connaître ce Napoléon et il tendait un doigt vengeur vers le sacristain.

— Odilon, vous perdrez votre situation, j'y verrai !

S'il avait tué un dénommé Napoléon, j'avais l'impression que le pauvre type perdrait plutôt la vie que sa situation...

L'un des policiers trouva un trou de silence pour déclarer d'une voix sépulcrale :

— C'est du sang qu'il y a sur le cierge pascal !

Il s'est passé une heure durant laquelle nous n'avons rien pu savoir et c'est seulement au bout de ces soixante minutes, ma tante, que j'ai appris la vraie vérité. Napoléon, c'était le chien de la dame. Ce chien suivait trop souvent sa maîtresse dans l'église. Il explorait la nef, le chœur et la sacristie. Odilon, le sacristain, s'enrageait contre ledit chien chaque jour un peu plus. Et finalement, dans un accès de colère incontrôlée, voyant rouge, le pauvre, il avait saisi le premier objet à portée de sa main, en l'occurrence un cierge pascal qui devait servir le mois suivant pour la cérémonie, et il l'avait asséné sur le toutou. Le toutou en était mort sur le coup, et le cierge s'était plié en deux, ou presque. Le sacristain avait caché le corps du chien, puis il avait tenté de réparer le cierge pascal. C'est alors que je l'avais surpris.

Vous comprenez, chère tante Zoïle, tuer un chien, quand on est sacristain, c'est presque aussi grave que tuer un homme. Surtout quand il s'agit du chien d'une dame riche et pieuse qui a fait don du nouveau chemin de croix à l'église ! Voilà pourquoi il se sentait tellement coupable, le pauvre homme.

Ainsi donc, mon espoir d'avoir découvert quelque meurtre sordide s'envolait, mais je préférais presque qu'il en fût ainsi...

Mon tort, c'est d'avoir écrit, pour compenser ma déconfiture, ce billet semi-humoristique que mon chef a publié et que vous avez lu dans le journal. J'aurais peut-être dû ne pas parler de « crime du cierge pascal », mais que voulez-vous, ma tante, je ne manquais de respect envers aucune chose sainte ou bénite.

Je m'excuse donc si j'ai pu vous paraître irrespectueux et je vous promets, ma tante, que, dans l'avenir, je réfléchirai plus longtemps avant d'écrire ces petits billets humoristiques que l'on trouve dans la page éditoriale de mon journal. Je me contenterai de sujets de tout repos, comme la politique de l'île du Prince-Édouard, la Société des Écrivains ou le Cimetière des Anglais.

LA BABICHE

Vincent Régis, un Montagnais, trouva le cadavre de Ginette Revel dans l'après-midi, vers trois heures, alors qu'il achevait un portage entre le lac Héron et le lac de l'Ourse, cinquante milles en haut de Mistassini. À six heures du même jour, il atteignit un poste de garde-feu et l'alerte était lancée vers la police. Deux heures plus tard, le premier avion se posait sur le lac de l'Ourse, près duquel avait été trouvé le corps, et cet appareil était suivi de trois autres, dont celui de Maxime Revel, père de Ginette, un riche industriel français installé au Canada.

Voilà exactement les faits, auxquels rien ne peut être ajouté, si ce n'est que, sans Vincent Régis, le crime serait encore un mystère et le dossier du meurtre, encore ouvert. À cause, précisément, de rien du tout, d'une bagatelle, de trois fois moins qu'une insignifiance. Je vous le raconte.

D'abord, le héros, Vincent Régis. En un sens, plus important que l'héroïne, dont la seule prétention à la gloire avait été de se faire tuer, presque bêtement, à cinquante milles de toute civilisation et au cours d'une malencontreuse partie de pêche.

Vincent Régis, donc, lui aussi presque rien. Lui aussi, une fourmi de la fourmilière, une des poussières humaines, qui habitent le globe. Trappeur, guide, chasseur, pêcheur. On a comme ça pour ces gens des appellations, en oubliant qu'il n'y en a qu'une : ce sont des sages. Ils appartiennent à la forêt et restent fidèles à leur appartenance. La ville n'a point de mirage pour eux et les vastes espaces sont les seules nourritures de l'âme qu'ils connaissent. Sans jamais pouvoir l'exprimer, du reste.

Or, de toutes ses qualités et défauts, de toutes ses habiletés et gaucheries, que dire de Vincent sinon qu'il avait de sa race antique l'observation rapide, l'œil vif et l'intelligence considérablement déductive. Quand on tire le pain de ses jours à jouer de ruse avec les bêtes, il serait incroyable que l'on ne devînt pas aussi rusé qu'elles. De la ruse à la déduction, qui est en somme prévoir le comportement des autres et en déduire des faits, il n'y a pas un long chemin à parcourir.

Vincent avait donc observé, dès l'instant où il avait aperçu le corps de la fille sous les branchages où le meurtrier l'avait dissimulé, un seul fait, sans importance peut-être, mais qu'il retint bien en mémoire. Et quand les policiers le ramenèrent avec eux pour indiquer le lieu du crime, quand les avions se mirent à arriver l'un après l'autre, que chacun dégorgea ses experts, ses journalistes et finalement le père de la victime, l'oublié fut bien Vincent. Mais d'être oublié apporte ses compensations. On le laissa là, on ne l'écarta pas des discussions : il put entendre toutes les conversations.

— Ma fille était en excursion de pêche avec trois amis et un guide.

Ce fut encore Régis qui montra le chemin. En forêt, rien ne passe inaperçu à ses fils et amants. Vincent Régis avait senti une odeur de feu sur la brise, qui venait du haut d'un torrent. Or, ces gens viennent en forêt pêcher dans l'eau blanche...

— Ils sont sur la rivière Héron, qui fait le lac Héron, dit-il.

Rivière est un grand nom pour un torrent large comme je montre. Mais l'eau en dévalait sur les pierres à grand flot et pour sûr la truite saumonée y devait abonder, la belle truite, qui combat comme une forcenée... On délégua Régis et deux policiers. Après, il se passa des heures et, vers la mi-soirée, Régis revint avec les policiers et les compagnons de la victime. Une compagne aussi. Deux hommes, deux femmes, un guide. La liberté d'action des temps modernes. Un avion amarré sur le lac Vantage, sept milles plus haut, que pilotait la victime.

Le groupe consterné se tint longtemps là, discutant avec les policiers, émettant des hypothèses. Vincent Régis écoutait, le visage impassible. Son regard allait lentement de l'un à l'autre, s'arrêtant parfois sur le beau visage mince aux yeux profonds de la fille encore vivante qui avait dit s'appeler Yolande Massue. L'un des compagnons était un Américain du nom de Bill Smith. L'autre était un Belge qui semblait en colère. Ses poings se serraient et se desserraient. Il marchait de long en large. Souvent il venait se tenir au-dessus de la bâche dans laquelle le corps de Ginette Revel était enroulé. Et là, immobile pendant un moment, il murmurait pour lui-même des choses incohérentes. Au regard interrogateur du policier, Maxime Revel expliqua, à voix contenue :

— Il devait épouser Ginette.

— Ils étaient fiancés ?

— Non, mais c'était pour bientôt.

Les policiers avaient installé des projecteurs reliés aux piles des avions. La rive du lac était ainsi baignée dans cette lumière blanche et crue qui allait se perdre en une sorte de lueur verdâtre loin sur le lac. C'était une scène de cauchemar, fantasmagorique.

Un médecin légiste achevait de rédiger un rapport préliminaire. Il s'approcha du lieutenant en charge.

— Morte par strangulation.

Il tenait une longue babiche dans la main.

— Voici l'arme. Un garrot classique. La babiche tenue aux deux bouts, jetée de l'arrière à l'avant de manière à serrer la glotte. On tord le filin, un coup ; on serre, on noue solidement... c'est fait...

Il plaça la babiche dans la main du lieutenant.

— C'est tout ce que je vois, moi.

*   *   *

— Je sais, dit le lendemain Vincent Régis à sa femme, qui a tué cette fille. Je veux dire que je peux savoir qui a pu la tuer.

— Et tu ne dénonceras pas le criminel ?

Le sauvage était songeur.

— À qui le dénoncer ? À la police ?

— Oui.

— Ils ne me croiraient pas...

Vincent passa la journée assis devant sa porte à fumer une interminable pipe. Cette nuit-là, au lieu de dormir, il s'allongea sur son lit, les bras sous la nuque, et resta les yeux grands ouverts jusqu'à l'aube.

Le soleil montait à peine sur l'horizon que Vincent Régis était déjà parti. Il voyagea cette journée durant et rejoignit finalement le guide qui avait accompagné la victime et ses amis. C'était un Nascopie, celui-là, plus grand que Vincent et aussi taciturne. Sans mot dire, les deux hommes s'installèrent devant le feu, assis face à face, car c'était l'heure du bivouac. Ils fumèrent ainsi une heure durant, puis Vincent parla. Il avait, dit-il, des questions à poser.

— Je t'écoute, dit John Canadien, le Nascopie.

— J'ai reconnu ta babiche autour du cou de la morte.

Le Nascopie inclina un peu la tête. Vincent Régis fuma, interrogea le ciel, puis son regard se posa de nouveau sur John.

— C'est tout ?

John Canadien cracha dans les aiguilles de pin.

— C'est tout. Quand on mène des gens, on prête de la babiche.

— À qui ?

— À trois d'entre eux.

— À la morte ?

— Non.

— Donc, les trois autres auraient pu ?

— Oui.

— Ils avaient tous de la babiche ? Pourquoi ?

— Le Belge voulait nouer une couverture ! La fille, l'autre, avait une courroie qui cédait à son havresac. L'Américain voulait faire un collet à lièvre.

— Avec de la babiche ?

— Il voulait essayer.

— Et toi ?

— La morte me payait trente dollars par jour pour vingt jours et une carabine neuve...

C'était sans réplique.

— Le nœud était comme ça, expliqua Vincent Régis.

Il nouait une longueur de babiche, montrait la nodification complexe. Le Nascopie prit le filin, examina le nœud.

— C'est quoi ?

— Il n'est pas ordinaire, dit Vincent. Je l'ai remarqué. J'ai vu aussi qu'elle était tombée par derrière, sur le dos.

— Oui ?

— Ce n'est pas tout. Elle est tombée les deux mains à plat sur le sol.

Le Nascopie plissa les yeux, réfléchit.

— Ah, oui, dit-il, je comprends.

— Tu étais avec les trois quand je suis arrivé au camp. Depuis combien de temps ?

— Depuis une heure.

— Et avant ?

— J'étais à l'autre bout du lac. Ils m'avaient promis d'attendre que je revienne. J'allais voir la Grande Décharge.

Vincent Régis inclina la tête. Il comprenait qu'aller voir la Grande Décharge, c'était tenter de garantir du poisson aux clients. À trente dollars par jour, il faut savoir garantir la lune.

— Et ce qu'ils ont fait, chacun de son côté ?

— Je ne sais pas.

— Eux, ils doivent le savoir...

— Quand je suis revenu, le Belge m'a raconté qu'ils s'étaient dispersés. Lui a dormi sous la tente. La fille Yolande s'était baignée. La morte, il ne pourrait dire. L'autre gars a grimpé une montagne, et il est revenu après moi.

— Ah ?

— De la montagne, je l'ai vu redescendre.

Vincent se pencha, examina les vêtements du Nascopie. Ses bottes surtout, et sa ceinture...

— Il y a longtemps que tu as huilé ton cuir ?

— Oui.

Vincent toucha. Le cuir était sec. Il se souvenait de la babiche du crime. Il ne l'avait pas tenue dans ses doigts, mais il l'avait examinée de près, sous les lumières crues.

— Dormons, dit-il. Demain, il faut que j'aille chez la police.

— Ah ?

— Pour dénoncer l'assassin de la fille...

— Tu le sais ?

— Non, mais, je sais comment le prouver maintenant.

Ils dormirent et quand John Canadien s'éveilla au matin, Vincent Régis était déjà reparti.

* * *

Au chef-lieu, on en était encore au même point. Il y avait des suspects possibles, mais comment le prouver ? En fait, ils étaient tous suspects. Même John Canadien et même si on ne l'avait pas requis de venir.

— Vous auriez dû l'emmener, avait dit un constable au lieutenant. Ces guides en devinent parfois très long.

Le lieutenant était de la ville. Il avait étudié dans les grands collèges. Il regardait la télévision et il se croyait imbu de toute science. Un guide indien n'allait pas lui enseigner son abécédaire policier. Il laissa donc le Nascopie dans sa forêt et entreprit de résoudre à lui tout seul, savant en ces choses et plein d'arrogance, le crime dont pourtant la solution n'était pas facile.

Car, s'il y avait des suspects, il y en avait trop. Et il ne semblait y avoir aucun mobile pour autant de suspects... C'est un drôle de métier quand on en arrive à cette impasse...

Vincent Régis n'alla certes pas renseigner le lieutenant. Il erra dans la ville, se laissa griser par le mouvement et le bruit. Il savait bien que dans deux heures il en serait dégoûté et voudrait repartir. Mais ces doses occasionnelles de civilisation l'aidaient à mieux retourner en forêt pour y retrouver la grâce et la joie...

Puis il se rendit à l'hôtel principal de l'endroit et s'installa dans le hall. Il attendit ainsi une heure, puis les deux compagnons et la compagne de la victime apparurent. C'était tout ce que voulait Vincent Régis : observer ces gens.

Le Belge, l'autre qui s'appelait Bill Smith et qui était Américain, et la fille du nom de Yolande Massue.

Le Belge était grand, bien découplé, de type athlétique. Il semblait une bête agile. Tout comme les deux autres, il était encore vêtu de ses hardes de chasse et de pêche, vêtements sportifs luxueux, achetés à grand prix dans les négoces pour riches de la ville. Bottes fraîchement huilées et sans égratignures, culottes-fuseau, chemise épaisse et blouson de daim élégamment taillé. Bill Smith était, lui, beaucoup plus flamboyant. Ses bottes étaient usées et l'on devinait à le voir que, s'il était riche, son goût pour les sports dépassait le snobisme, car ses vêtements étaient pratiques et ils avaient de l'usage. La fille, de son côté, semblait issue de quelque revue de mode forestière pour jeunes filles de haut rang. Jusqu'aux bottillons de daim et à la ceinture de même cuir qui originaient d'un faiseur probablement fort renommé.

Longtemps, Vincent Régis observa les gestes de chacun de ces gens. Il détailla leurs vêtements, leur démarche. Il put même écouter leur conversation. Il remarqua surtout qu'entre Bill Smith et le Belge, il y avait une froideur évidente, une acerbité mal déguisée, et que Yolande Massue semblait faire tout en son pouvoir pour s'interposer entre eux.

Puis, ayant appris ce qu'il voulait apprendre, ou presque, Vincent Régis s'en fut.

Il s'en fut trouver les policiers. Parce que le lieutenant ne croyait pas séant de parler à un sauvage, ce fut à un sergent que Vincent Régis put parler. Mais le sergent était né à l'orée de la forêt. Bon chasseur et pêcheur fervent, il avait parcouru le pays du Nord. Il connaissait le Nascopie qui avait guidé le quatuor tragique. Il connaissait aussi Vincent Régis. Il savait, entre mille choses qu'il faut savoir lorsqu'il s'agit de la forêt et des gens de la forêt, que Vincent Régis, un Montagnais pur sang, ne venait pas le trouver inutilement.

— Je veux savoir, dit Vincent Régis, si vous avez questionné les trois personnes qui étaient avec la morte.

— Oui.

— Vous connaissez leur vie à chacun ?

— Nous avons des renseignements.

— Lequel d'entre eux a été marin déjà ?

— Le Belge.

— Alors, il faudrait l'arrêter. C'est lui qui a tué la fille.

Après, ce fut naturellement un branle-bas dans tout l'établissement. Même le lieutenant accepta finalement d'entendre Vincent Régis.

— Il ne faut pas lancer de telles accusations à la légère, dit-il. Il s'agit d'un meurtre. Il faut des preuves.

C'était un gros lieutenant, un peu essoufflé, qui regardait non sans mépris le Montagnais de petite taille, humble et pas trop bien vêtu, devant lui.

— J'en ai, dit calmement Vincent Régis. J'ai commencé à les avoir quand j'ai découvert le cadavre...

— Nous aurions dû le questionner, dit le sergent, et questionner le Nascopie.

— Si vous avez des preuves, dit le lieutenant brusquement, dites-les et finissons-en.

Il voulait évidemment retourner à son enquête à lui, son enquête sérieuse, après avoir éliminé cet importun.

— C'est simple, dit Vincent Régis. Écoutez-moi, ensuite vous n'aurez qu'à continuer... John Canadien...

— Qui ?

— Le guide Nascopie. Il a prêté de la babiche aux trois autres du groupe.

— Et puis après ?

— Écoutez-moi. La babiche avec laquelle la morte a été tuée était tachée d'huile. John Canadien n'huile pas ses bottes. Le seul qui le fait, c'est le Belge.

— Ah ? Je ne comprends pas.

— À chacun ses caprices. Lui, il préfère huiler ses bottes. Ensuite, il a été marin, et le nœud de la babiche autour du cou de la morte est un nœud de marin. Ensuite, la morte est tombée sur le dos, les mains à plat par terre. Pour tomber ainsi, il faut avoir été pris par surprise. Mais à cet endroit-là, le sol est très sec et il y a beaucoup de branches mortes, sèches aussi. La fille a certainement entendu venir quelqu'un derrière elle. Pour être prise par surprise, il a fallu qu'elle connaisse son meurtrier et qu'elle le laisse donc marcher en arrière. Comme il était son amoureux, elle avait confiance... Il ne lui est pas venu à l'idée qu'il la tuerait.

Jamais Vincent Régis n'en avait autant dit tout d'un souffle. Il s'arrêta. Il vit que le lieutenant le regardait d'un air songeur.

— Continue, dit le policier. C'est intéressant. Pourquoi le Belge aurait-il tué sa fiancée ?

— Un homme qui a peur va tuer parfois, dit le Montagnais sentencieusement.

— Peur !

— Peut-être que la fille ne voulait plus l'épouser ? En le questionnant, en questionnant les autres, cela se saurait.

— Mais comme preuve, c'est tout ?

— Il a dit qu'il allait dormir sous sa tente. Personne ne l'a vu sortir, mais personne ne l'a vu dormir. Smith est monté sur la montagne et l'autre fille est allée Dieu sait où dans les bois...

— Ce pourrait être elle.

— Non. D'abord parce qu'elle n'est pas assez forte.

Ensuite parce que ce n'est pas son genre. Ce n'est pas le genre de Smith. Mais le Belge sait tuer. Je l'ai lu dans ses yeux.

Il y avait tellement de calme tranquille dans la réponse du Montagnais que le lieutenant en parut impressionné. Il se tourna vers le suspect.

Vincent Régis attendit une partie de cette journée-là, assis dans un petit parc non loin du poste de police. Quand il apprit, à la tombée du jour, que le Belge avait finalement avoué son crime, corroborant en tout ce que lui, le guide indien, avait dit, Vincent se leva, eut un sourire un peu moqueur et partit.

Il marcha tout le temps qu'il fallut pour retrouver la forêt et l'endroit de son camp, et le chant doux des eaux d'un ruisseau sur un lit de pierres...

Il savait bien d'autres choses encore, sur les gens et les bêtes, sur le temps du jour et la façon d'être de la nature, mais puisque personne ne lui demandait de confier son savoir, il le gardait pour lui, dans son silence, dans le fond secret de son âme...

BURIDAN

C'était couru. Buridan devait finir de cette façon. Il n'y avait d'ailleurs aucune raison pour qu'il vive. Il fut donc assassiné le 10 janvier de l'an dernier. Gravel se rendit avec l'escouade faire les premières constatations. Après, il en discuta avec Morin.

— Connais pas, dit Morin. Buridan ! C'est un drôle de nom.

— Le gars était drôle de corps, répondit Gravel. J'en sais peu, mais déjà ça suffit. Diamantaire. Sinon riche, du moins de l'argent dans les poches pour les caprices. Marié, sa femme ne pleura pas. Le concierge de l'appartement m'a tracé un portrait. C'est éloquent. Coureur, brutal, cynique, souverainement indifférent à tout sentiment humain. Une preuve ?

— Ça m'aiderait.

— Il n'avait qu'une fille, qu'il semblait haïr. Elle a dix-sept ans. Il l'a fait baptiser Anne. Tu te rends compte ? Anne Buridan.

Morin admit la goujaterie.

— Pourquoi ?

— C'est la cuisinière qui m'a donné la piste. Elle est avec eux depuis vingt ans. Buridan prétendait que cette enfant n'était pas de lui...

— Alors, il l'a prénommée Anne. Anne Buridan, comme dans la légende.

— Un nom comme ça, c'est pour la vie, ensuite.

— Naturellement.

Morin en était là. Gravel aussi. Rien de plus. Des suspects à la pelle. Un type comme Buridan, cent personnes veulent le tuer. Mais il se produit qu'une seule y arrive. Laquelle ?

— Pas d'empreintes ? Raconte le crime.

— Classique. Un coup de revolver, une balle.

— Et l'arme ?

— Non loin du cadavre.

— Rien ?

— Rien. Le meurtrier portait des gants.

— À qui le pistolet ?

— À Buridan. Tu vois l'ironie.

— Oui, je vois l'ironie, mais je ne vois pas de criminel.

— Moi non plus.

Une journée. C'est long dans une enquête. Buridan avait des amis en haut lieu. Des amis ou des obligés. Des gens, en tout cas, prêts à actionner des rouages. L'ordre vint de très haut que l'enquête devait être menée à fond.

— Moi, dit Gravel, je décorerais le meurtrier. Une journée et regarde...

Déjà les pages du carnet de notes étaient pleines. Plus précisément, des actions malfaisantes de Buridan. Ce n'était pas un escroc, mais il côtoyait la loi. Pis encore, il détruisait derrière lui. Il y a des gens de ce genre. Ont-ils un ami qu'ils s'appliquent à le détruire. Rien ne résiste. Des filles à la douzaine, ruinées par Buridan. Du sordide à pleines pages...

Quant aux hommes... Buridan transigeait des affaires d'argent comme il transigeait ses affaires de cœur. Pour en arriver à un tel point de cynisme, il faut d'abord une dose d'égoïsme peu ordinaire.

— Il n'y avait, conclut Gravel, qu'un seul homme important dans la vie de Buridan.

— Qui ? demanda Morin.

— Buridan lui-même.

Morin était l'inspecteur en charge de l'escouade. Les ordres lui parvenaient en direct. Sa responsabilité, essentiellement, c'était de faire punir le meurtrier.

— Si Buridan a été tué pour de l'argent, et seulement pour ça, je marche, dit-il. On ne tue pas quelqu'un pour de l'argent. Mais s'il a été tué par sa fille prénommée Anne, ou par sa femme qui n'est plus une femme, alors voilà que j'aurais, si la chose m'était permise, bien de l'indulgence.

Il était songeur.

— Tu es absolument certain que le suicide était impossible ? demanda-t-il à Gravel. J'examine les photos, et ça me semble improbable, mais as-tu définitivement écarté cette hypothèse ?

— À peu près, oui.

— Mais pas complètement.

— Il aurait pu projeter l'arme assez loin, en tombant. Sauf qu'il n'avait pas de gants... Mais ce n'est pas ce qui me chicote... Buridan n'avait aucune raison de se suicider. Et puis, ce n'était pas son genre...

— Ah ?

— Trop sûr de lui-même... Et ses affaires allaient bien.

— Vous avez fouillé ?

— Un comptable toute la journée dans ses livres.

— Rien ?

— Un commerce prospère.

— Je reviens au suicide. La balle était logée dans la tête ?

— Oui.

— Le coup tiré à quelle distance ?

63

— Je ne peux dire. Pas de marque de poudre. Le laboratoire pourra nous dire demain à quelle distance le coup a été tiré. Pour le moment, rien de précis, sauf que le canon n'était pas collé sur la tempe.

— Autrement dit, nous pataugeons.

— Oui.

Morin était lieutenant et chef de l'escouade. Gravel avait le grade de capitaine. Des hommes sous leurs ordres, mais en équipe, les deux chefs constituaient la force agissante du groupe. La force pensante aussi.

— Si le criminel n'était qu'un vulgaire bandit, j'en ferais des réjouissances, dit Morin, après avoir soigneusement lu les notes de Gravel.

* * *

Le lendemain matin, les résultats restaient semblables. À un facteur près, un seul, à peine remarquable. Le laboratoire avait établi la densité comparative de la boîte crânienne de Buridan, densité qui diffère pour chaque individu. En mesurant la pénétration de la balle de 32 par rapport à cette densité et après des tests balistiques de l'arme, il était possible d'établir la distance approximative de l'arme au moment où le coup était parti. Le laboratoire disait vingt-trois pouces. Donc, possibilité de suicide. À condition que Buridan fût un excellent tireur, d'une part, et doué d'un extraordinaire sang-froid, d'autre part. Rien d'impossible en somme.

— Tu as déjà vu ça, dit Morin à Gravel, quelqu'un qui cherche à tout prix un verdict de suicide ? Il faut que la victime soit vraiment mieux morte...

Il enfilait son paletot.

— Tu vas là-bas ? demanda Gravel.

— Oui. Je veux parler à madame Buridan.

— Ah !... Tu veux que j'aille avec toi ?

— Non... non... Il vaut mieux que je sois seul...

Buridan avait le goût du luxe. Il avait loué un appartement au dixième étage, avec vue splendide sur la ville, le fleuve au loin, ses ponts, sa couleur d'été et les levers de soleil de printemps.

Madame Buridan était mince, hâve. Ses mains tremblaient. Autrefois jolie, pas en temps de mois et d'années, mais en temps de vie. Jeune encore, vieillie et fanée. Surtout, le regard dans les yeux. Une suspicion du monde, une crainte, le talent de n'ouvrir ce regard qu'en rapides éclairs et de le retirer ensuite bien au-dedans d'elle-même, en un pays qu'elle habitait seule.

Il y a des attitudes, une façon de marcher et de s'asseoir qui racontent une histoire de vie. Morin n'avait pas besoin de demander si Gertrude Buridan avait été malheureuse avec son mari. Le fait était là, palpable et évident.

— Les policiers ont posé bien des questions, dit-elle.

C'était éloquent.

— J'ai bien peu à demander, dit Morin. Quelques petites choses.

Il se remémorait le cadavre, les vêtements impeccables. L'on imaginait Buridan au port de tête altier, morgue hautaine dans chaque geste. Mode londonienne, chapeau hambourg, canne, gants.

Des gants...

— Vous avez entendu le coup de feu ?

Cent fois posée déjà, la même question.

— Et vous êtes accourue ?

— Oui.

Mais elle avait hésité.

— Immédiatement ?

— Non, José...

— Ah ! Il était Espagnol ?

— D'origine seulement. Je le crois, je ne pourrais dire.

— Que savez-vous de lui ?

La femme eut un sourire amer.

— Ce qu'il m'a dit. La vérité mêlée à la fausseté. Partant de ce principe, j'avoue ne rien savoir, ne pouvant démêler ce qui est vrai ou faux.

— Il était riche ?

Elle sursauta, se reprit aussitôt, se réfugia dans son pays.

— Dites, il était riche ?

— La maison ne manquait de rien. Lui non plus.

C'était à peu près la limite. Elle ne dirait rien d'autre.

— Et vous ? De quoi manquiez-vous ?

Silence.

— Je reviens à l'instant du crime. Vous êtes venue, mais pas tout de suite ?

— J'ai attendu... oh ! je ne sais pas, quelques instants...

— Pourquoi ?

— José rentrait. Il n'aimait pas que je fasse irruption dans son bureau... sa bibliothèque. C'était toujours lui qui me permettait de venir, et non moi qui entrais la première.

Les joues hâves, cette économie de mots. L'implication pourtant, entre chaque ligne, l'autocratie de Buridan le maître et la soumission de la femme. État honteux, dégradant... Même en entendant un coup de pistolet, ne pas oser entrer...

— Mais finalement ?

— Je suis entrée. Je l'ai aperçu sur le parquet.

— C'est tout ?

Pause, trop longue. Une fraction de seconde de trop, mais une brisure dans le rythme.

— C'est tout ? répéta Morin.

— Oui.

66

— Votre fille, où était-elle ?

Un soudain effroi dans le regard.

— Elle n'était pas ici. Elle était sortie. Elle est arrivée plus tard.

— J'ai vu les notes de Gravel. Elle a un alibi.

— Elle n'a rien à faire avec le crime.

— Ce pourrait être un suicide, vous savez.

— Ah !

L'hypothèse n'était pas apparue à Gertrude Buridan. Et à mesure que l'idée faisait son chemin, elle semblait s'intéresser à cette solution. Son visage s'animait.

— Seulement, dit Morin, il n'y a pas d'empreintes sur le pistolet. Un homme ne peut se tirer une balle dans la tête et essuyer ensuite les empreintes digitales sur le pistolet.

Gertrude Buridan était debout, frémissante.

— Est-il nécessaire que vous, de la police, vous ne cherchiez qu'à compliquer les choses ? Puisque le suicide est possible, pourquoi ne pas accepter ce verdict ? Ces questions d'empreintes, ce sont des enfantillages !

— Pas à notre point de vue. Votre mari portait des gants pour sortir ?

— Oui, toujours.

— Il n'y en avait pas dans la pièce. Et il avait les mains nues.

Gertrude Buridan était pâle comme une morte. Debout devant Morin, elle était l'image même de la panique.

— Maintenant, dit-elle d'une voix méconnaissable, je suppose que vous poursuivrez votre enquête ?

— Oui. Quelqu'un a tué votre mari. Quelqu'un qui le haïssait.

— Ils sont des centaines, qui le haïssaient.

— Peut-être. Il faut surtout un mobile plus précis.

L'occasion. Pouvoir entrer chez vous, le tuer dans sa bibliothèque. Cela veut dire vérifier les allées et venues de bien des gens. Vos allées et venues à vous, l'alibi de votre fille.

La femme s'était affaissée sur un divan. Elle sanglotait.

Morin eut un sourire très pâle, très furtif. Avait-il donc deviné juste ? Ce diable de flair, comment l'expliquer ?

Il s'apprêta à prendre congé.

— Ce sera tout, dit-il. Je m'excuse de vous avoir dérangée.

La femme pleurait toujours.

Presque tendrement, il lui toucha l'épaule, puis, silencieusement, il sortit.

Au bureau, Gravel l'attendait.

— Et puis ?

— Je ne suis pas sûr. Si peu, en fait, que je ne dirai rien.

— Ah, tiens !

— Il y a une chose qui aurait dû te surprendre. Buridan portait toujours des gants. Ce jour-là, il n'en avait pas. À tout le moins, vous n'en avez trouvé ni sur lui, ni dans la pièce.

— C'est juste.

— Et il n'y avait pas d'empreintes sur l'arme.

— Exact.

Gravel avait une liasse de documents à la main.

— J'ai du nouveau, dit-il.

— Qu'est-ce que c'est ?

— Aux livres, selon sa comptabilité, à la banque, les affaires de Buridan étaient excellentes. Toutefois, il y a ceci.

— Qu'est-ce que c'est ?

— Un dossier de la police fédérale.

— Qu'est-ce que tu dis ?

— Buridan était un diamantaire légitime. Mais ses affaires se divisaient en deux, bien distinctement. D'une part, le commerce légal du diamant, de l'autre... ceci.

Le dossier décrivait une filature opérée depuis deux ans par la G.R.C., concernant Buridan et la contrebande de diamants industriels. Un dossier bien précis. Comme dernière pièce : une note adressée par l'un des agents à ses chefs, disant que Buridan semblait se douter des soupçons.

— Je comprends, dit Morin.

Et il se frottait les mains d'aise.

— Je veux, dit-il à Gravel, que tu vérifies de très près l'alibi d'Anne Buridan. C'est très important. Et que tu m'en fasses rapport au plus tôt.

— D'accord.

Gravel partit. Morin se plongea dans une revue de tout ce qui avait été appris sur le crime. Le rapport du laboratoire, l'examen balistique de l'arme, les interrogatoires.

L'on avait questionné des suspects à la douzaine. Suspects, justement, à cause du caractère de Buridan.

Mais plus particulièrement, il interrogea ce dossier de la Gendarmerie royale. L'histoire de Buridan y apparaissait tellement plus claire. Et par conséquence directe, l'histoire de son crime. Du crime, plus précisément, de celui qui l'avait assassiné.

Mais était-ce bien un crime ?

Buridan — disait le dossier de la Gendarmerie royale — dirigeait un système de contrebande de diamants industriels. Il en était l'âme, le chef. Malgré une vie en apparence bourgeoise au Canada, durant ses nombreux voyages à l'étranger, à Tanger surtout, à Casablanca, à Paris, à Bruxelles, les grands centres de la contrebande diamantaire, il vivait sa pleine aventure.

On le soupçonnait d'une dizaine de meurtres en autant de grandes cités d'Europe. Lui ou sa bande.

Au Canada, bon bourgeois, financièrement, homme ayant de nombreux ennemis, mais de prime abord fort acceptable dans tous les milieux.

Sauf, peut-être, quelques aventures féminines assez sordides. Mais cela, en pays latin, est facilement pardonné.

L'important, c'était ce trafic qu'il faisait, les groupes auxquels il était associé, les crimes commis en Europe. Cela seul lui aurait mérité la mort.

Et soudain, Morin devint convaincu. Il avait touché juste lors de sa visite chez la femme de Buridan. Et quand Gravel revint, la conviction s'affirma.

— L'alibi d'Anne Buridan ne tient plus, dit-il. J'ai vérifié et confirmé. Elle est entrée chez elle environ quinze minutes avant l'arrivée de son père.

— Bon.

— On la plaint, on l'aime bien aussi, c'est pour ça que des gens étaient prêts à jurer qu'elle était avec eux au moment du crime. On l'excuserait même d'avoir tué son père...

Morin retourna voir madame Buridan.

La femme, cette fois, semblait nerveuse. La panique se lisait dans son regard.

— Vous savez pourquoi je suis ici ? dit Morin.

Elle inclina la tête.

— Oui.

— Vous voulez que je vous raconte ce qui s'est passé le soir du crime ?

La femme ne répondit pas. Ses yeux hagards fixaient le policier.

— Votre fille, Anne, menace de tuer son père depuis plusieurs mois. J'ai raison ?

La femme haussa les épaules, détourna les yeux.

— Le soir du crime, elle était ici. On a voulu faire croire qu'elle était avec des amis. Nous savons maintenant qu'elle était ici.

— Elle n'a pas voulu, j'en suis sûre, s'écria soudain la femme. Elle a voulu le menacer, peut-être, seulement ça. Le coup a dû partir !

De nouveau la femme se réfugia dans le silence.

— Vous ne le savez pas, répéta Morin. Voilà peut-être pourquoi, pendant un temps, nous avons dû procéder à tâtons. Vous avez entendu le coup de feu. Vous saviez que votre mari venait d'arriver et que votre fille était dans la maison. Vous êtes allée dans son bureau... mais pas tout de suite. Vous craigniez peut-être d'apprendre la vérité ? Enfin, peu importe. Vous êtes entrée, vous avez aperçu le cadavre de votre mari par terre. Le revolver gisait non loin. Par un pur réflexe, vous avez enlevé les gants de votre mari...

La femme eut un grand sursaut. Elle se cachait le visage derrière la main, de l'épouvante dans le regard.

— Vous avez pris ses gants, et voilà qui nous a déroutés. Pourquoi avez-vous pris ses gants ?

— Je ne sais pas.

— Vous êtes sûre ?

— Je ne sais pas. Je ne les ai pas pris... Je ne sais plus rien.

— Est-ce que vous avez pris autre chose dans le bureau ?

— Je ne sais pas.

Doucement, Morin répéta.

— Vous avez pris les gants. Voulez-vous aller me les chercher ? Ou dois-je me procurer un mandat de perquisition ? Votre fille n'a pas tué son père. Il s'est suicidé. Il était sur le point d'être arrêté par la Gendarmerie royale. Il a préféré se tirer une balle dans la tête.

71

Voilà l'histoire... Maintenant, pourquoi avez-vous pris les gants ?

— Je ne sais pas. Je voulais sauver ma fille. J'étais comme folle. J'ai pris les gants et je ne sais pas pourquoi...

— Et, dit Morin, en le faisant, vous avez justement éveillé notre attention sur leur absence et vous avez permis la solution du crime.

IL FAUT LAISSER BRAIRE

Partant de tous les meilleurs principes, rien ne devrait jamais nous faire déroger d'une ligne de conduite fondamentale : bien faire, soit, mais surtout laisser braire. Ainsi, lorsque Camille Autant fut abattu d'une sèche et dure balle en pleine tempe, il avait appris, dans la seconde suprême, avant de rendre son âme à Dieu, que cette ligne de conduite ne doit pas être transgressée.

Ou, comme le dit le lieutenant Morin, en relevant les premières constatations :

— Voici un individu qui aurait cent fois dû se mêler de ses affaires.

C'était superficiel, rapide, et sans caractère de permanence. Le lieutenant arrivait sur les lieux avec le sergent Leclerc. On ne peut exiger même du plus fin limier qu'il trouve la solution du crime en voyant le cadavre. Toutefois, il y avait le rapport du policier de la radio-patrouille. Celui-là le disait carrément. Camille Autant, nez-fourré-partout, bien connu dans le quartier, avait été abattu alors qu'il allait se mêler, une fois de plus, de ce qui regardait autrui.

Notamment, il s'était accroupi devant une fenêtre dont le store baissé laissait tout de même une ouverture de deux pouces tout au bas. De quoi voir ce qui se passait à l'intérieur. Ce qui se passait, c'était probablement un règlement de comptes. Quelqu'un, au-dedans, avait tiré un coup de feu. La balle s'était perdue et, passant à travers le carreau, elle avait tué Camille Autant sur le coup.

— Cent fois, dit le policier, je l'ai averti de cesser ses indiscrétions. Il était toujours partout, guettant tout, épiant, observant.

— Bien faire, dit Morin, et laisser braire...

— Ça, dit le policier, ce n'était pas le genre de Camille Autant.

Ainsi s'écrivent spontanément les oraisons funèbres.

Du dedans, le sergent Leclerc appela Morin. Il était entré, histoire de découvrir qui avait tiré le coup, qui avait tué Camille Autant. Tué de cette façon ou d'une autre, la mort constituait un assassinat et le lieutenant Morin, en sa qualité de chef de l'escouade des homicides, devait enquêter.

À l'intérieur, c'était une pièce au rez-de-chaussée, l'arrière d'un magasin. La fenêtre donnait sur la ruelle. C'était dans la ruelle que gisait Camille Autant, maintenant feu Camille Autant.

— Qu'est-ce que c'est, ce magasin ? demanda Morin.

— Un fourreur. Quelque chose de bien coté. Grand luxe.

— Et alors ?

Leclerc fit la moue, hocha la tête. Il hésita.

— Selon les indices que je vois, les coups de feu ont été échangés entre les bandits alors qu'ils accomplissaient un vol. Voici dix manteaux de luxe sur une chaise. Les voleurs se sont introduits par l'arrière, la porte a été forcée.

Morin regardait à son tour, examinait les murs, les meubles, scrutait le parquet. Il vit du sang.

— Hé ! tu vois, Leclerc ?

— Oui.

— Combien de balles ont été tirées ?

— Une seule à notre connaissance. Celle qui a tué Camille Autant.

— Et il y a du sang sur le parquet, ici...

— Oui.

— C'est bizarre. La balle a frappé Autant à la tempe. Impossible à un homme de se traîner au-dehors avec une telle blessure. Il a dû mourir sur le coup. Pourquoi y aurait-il du sang ici, à l'intérieur ?

Morin continuait à examiner. L'œil exercé du limier ne perdait pas un détail. Mais toujours, Leclerc semblait soucieux et un peu sceptique. On eût dit que quelque chose ne lui revenait pas.

— Qu'est-ce que tu as ? lui demanda Morin.

— Patron, il y a quelque chose qui cloche.

— Quoi ?

— Ce magasin de fourrure est situé sur une courte rue très tranquille. Après sept heures du soir, il n'y passe pas dix personnes de toute la nuit. Par contre, à cause de la jonction des deux ruelles ici, du terrain de stationnement à cent pieds du garage là, derrière, cette ruelle est vraiment achalandée à toute heure de la nuit. Pourquoi les voleurs ont-ils choisi d'entrer par l'arrière, dans cette ruelle, alors qu'ils pouvaient entrer par l'avant beaucoup plus facilement et sans crainte d'être vus ?

Visiblement impressionné, Morin regardait son subalterne.

— Bien trouvé, dit-il à la fin. Et une question qui mérite de longues réflexions. Pourquoi, en effet, entrer ici plutôt qu'en avant ?

Morin examina les manteaux un à un. Il fouilla les armoires, la voûte maintenant ouverte.

— Je ne sais pas si je me trompe, dit-il, mais il ne semble rien manquer ici...

Le propriétaire du magasin de fourrure, mandé au téléphone, arrivait en trombe, suprêmement ému. Il fallut toute la patience de Morin, habitué à ces explosions, pour calmer cet homme. C'était un grand brun, dans la quarantaine, du nom de Verner.

— Je n'y comprends rien, dit-il après avoir examiné son établissement. Ils n'ont rien volé. Évidemment, il faudra un inventaire.

— Où étiez-vous ce soir ? demanda Morin.

Surpris, l'homme le toisa.

— Chez moi, avec ma femme...

L'affaire n'avançait guère et Morin regarda Leclerc d'un air un peu penaud. Par où commencer ? L'escouade était là, efficace, rapide. L'on relevait les empreintes.

— Vous savez, dit Verner, des empreintes, il peut y en avoir ici des douzaines bien différentes les unes des autres, et même des centaines. C'est la salle d'essayage, ici. Toutes mes clientes y passent, et la plupart avec leur mari.

— Nous cherchons, dit Leclerc d'une voix brusque, uniquement celles de l'homme qui a tiré la balle.

— Mais pourquoi tuer ce pauvre Camille Autant ? demanda Verner.

— Vous le connaissiez ? demanda Morin.

— Mais oui. C'est un... c'était un habitué du quartier. Nous le connaissions tous, ici...

— Évidemment.

Tourne et vire, et tourne et vire. Par où commencer, sur quoi s'appuyer ? Et pourtant, Morin en était sûr, il y avait un assemblage de faits qui, s'ils étaient rassemblés tels qu'il le fallait, pouvaient faire pendre un homme... Il prit Leclerc à part, le mena dehors, où ils pouvaient parler un moment sans être entendus.

— Moi, je voudrais jouer un jeu, dit Leclerc. M'en donnez-vous la permission ?

— Quel jeu ? demanda Morin.

Leclerc lui expliqua brièvement son plan. Morin hocha la tête.

— C'est un risque. Si tu te trompes ?

— Je n'ai qu'un but : faire sortir le criminel à la lumière. Il faut ruser. Personne ne peut me blâmer...

Leclerc eut le mot de la fin.

— Et ce n'est pas vous, chef d'escouade, dit-il à Morin, qui allez ruser, mais moi. J'en prends la responsabilité. Si je me trompe...

— Si tu te trompes, interrompit Morin, cela va faire un pétard !

Ils revinrent au-dedans. Un des détectives de l'escouade avait du nouveau. En scrutant chaque manteau sur la chaise, il avait trouvé une cape en vison sauvage de grand prix dont un pan portait une déchirure.

— Faite récemment, dit Leclerc qui examinait l'entaille.

— Un mauvais coup, fit Morin.

— Cela peut se réparer, dit Verner. Mais je me demande bien...

— Moi, pas trop, fit Leclerc.

Il se tenait devant Verner, se dandinant sur les talons.

— Monsieur Verner, dit-il, dites-moi quelque chose.

— Oui, je veux bien.

— C'est pour éclairer un peu notre lanterne. Vous ne vous objectez pas ?

— Mais non, pas du tout, et vous le savez bien. Ce drame est horrible et si vous pouvez l'éclaircir...

Le fourreur se passa la main sur les yeux d'un air las.

— Pour ma part, continua-t-il, je n'y comprends absolument rien. Des gens se sont introduits ici, Camille Autant a été tué... Et pourtant, rien n'a été volé... Non, c'est un mystère...

— Pourtant, dit Leclerc, si je peux reprendre votre mot, je me dis que si rien n'a été volé, quelque chose a été déchiré.

Verner le regarda d'un air intrigué. Morin, debout à deux pas, observait curieusement la scène. Il semblait inquiet et son regard allait de Verner à Leclerc constamment.

— Je veux dire, reprit Leclerc, que vous venez d'affirmer quelque chose qui est aussi un mystère pour moi.

— Ah ? Qu'est-ce que c'est ?

— Vous avez dit que des gens se sont introduits ici. Comment savez-vous qu'ils étaient... plusieurs ? Nous avons toujours cru, depuis notre arrivée ici, le lieutenant Morin et moi-même, qu'il n'y avait qu'un voleur. Vous parlez de deux, ou de plusieurs avec une certaine assurance...

— C'est que...

— Et en parlant d'assurance, est-ce que vous êtes assuré contre le vol ?

— Mais oui !

Verner, raidi, fixait Leclerc. Son visage avait légèrement pâli et ses mains tremblaient.

— L'assurance couvre toute la valeur de votre stock ?

— Oui.

— Encore faut-il, poursuivit Leclerc, que vous puissiez disposer de ces fourrures. La compagnie d'assurance serait intriguée du fait que les manteaux volés ne réapparaîtraient pas sur le marché clandestin...

— Je ne suis pas du tout au courant de ces choses.

Je suis assuré. Si l'on m'avait volé des fourrures ce soir, je serais compensé.

— Alors, pourquoi étiez-vous si ému, si troublé ? Pourquoi toute votre excitation quand vous êtes arrivé ici ?

— C'était à cause d'Autant. Un homme est mort, sergent, vous semblez l'oublier...

— Oh, je ne l'oublie pas !... Je dirais même qu'il n'y a pas qu'un mort dans cette histoire... Il y en a trois...

— Trois ?

— Ou presque.

— Trois ?

— Oui.

Verner eut un geste fou :

— Il n'y a que deux morts !

Mais il se reprit aussitôt :

— Je veux dire : un mort, Camille Autant.

— Ah, pauvre de moi, reprit Leclerc, je n'ai jamais été fort en mathématiques...

Il eut un sourire angélique et sans perdre des yeux le regard de Verner, il continua :

— Un fourreur de renom, dont les affaires ne vont probablement pas très bien, décide que, si un vol était commis à son établissement, ce serait de l'argent tombé du ciel, car l'assurance paierait. Pour ne pas éveiller les soupçons de ladite compagnie d'assurance, le même fourreur, qui connaît les habitudes des sociétés de ce genre, décide d'embaucher quelqu'un de la pègre, un expert en écoulement de fourrures volées. Mais alors que le simulacre de vol allait s'accomplir, une mésentente survient entre les deux complices. Le fourreur, qui est un Européen au sang plutôt bouillant sous des dehors glacés, perd tout contrôle. Avec un couteau ou autre objet tranchant du même genre, il poignarde son

79

complice. Ce faisant, il lacère une fort belle cape de vison. Dans son énervement, il oublie d'ailleurs qu'il a un revolver en poche et il a probablement pris la première arme qui lui est tombée sous la main. Je dirais un couteau qui sert à tailler le vison pour descendre les peaux. C'est une arme redoutable, surtout entre les mains d'un expert fourreur qui a dû longtemps manier cet outil et sait s'en servir avec justesse et habileté. Le drame ne s'était pas sitôt produit que notre fourreur aperçoit, par cette fente entre le store et l'appui de la fenêtre, un visage qui lui est familier. Camille Autant, épieur et guetteur bien connu dans le quartier, vient encore de céder à son inlassable curiosité. Mais cette fois, il en a vu trop et le fourreur, froidement, tire son arme de sa poche et abat Camille Autant. Puisqu'il a tué une première fois, autant tuer une deuxième fois. L'endroit est assez passant, mais ici les murs sont épais et il est probable que notre criminel a pu tirer sans que l'on entende le coup... Du moins, pas de façon assez sûre pour en donner une alerte immédiate. Il ouvre donc la porte, glisse le couteau meurtrier dans sa poche, traîne dehors le cadavre de son complice et le met dans sa voiture. Il va en faire autant du cadavre de Camille Autant quand quelqu'un, ou quelque chose, le dérange, et il décide de filer. Il oublie de refermer la porte et il oublie de prendre les précieux manteaux. En définitive, il peut se dire non seulement qu'il a tué deux hommes, mais qu'il les a tués en pure perte, car le vol est raté. Une fois parti, il a le temps de réfléchir. Sa femme est au courant de la tentative de vol. Autant tout lui avouer. Ce qu'il fait. Maintenant, il peut invoquer un alibi presque parfait. Selon la loi criminelle anglaise, une femme ne peut témoigner pour ou contre son mari. Mais un jury se laissera toujours impressionner par un homme qui dit froidement, alors que sa femme est dans l'audience, qu'il a passé la soirée chez lui en pantoufles...

Verner, blanc comme un drap, flageolait sur ses jambes.

— Je crois, conclut Leclerc, que si nous allons fouiller le coffre arrière de votre voiture, Verner, nous trouverons le cadavre de votre complice. Et peut-être aussi le couteau. Vous vous êtes senti tellement sûr de vous-même que vous avez eu l'audace de rapporter ça ici... Je crois que vous n'avez pas eu le temps de disposer du cadavre...

Il prit le fourreur par le bras.

— Et alors ? Il est là, le cadavre ?

Sans dire un mot, Verner inclina la tête, paralysé par la peur et l'affaissement. Mais il retrouva un filet de voix.

— Vous avez dit... trois morts...

Leclerc éclata de rire.

— Mais oui... Camille Autant, votre complice, et vous... Vous, sur la potence, inévitablement !

— Comment... comment avez-vous fait pour... pour deviner ? parvint à dire Verner.

— Un ensemble de petites choses. D'abord, les voleurs de fourrures sont rarement des assassins. Ce sont des spécialistes et ils n'aiment pas le sang. Si Camille Autant a été tué, j'étais sûr que c'était tout simplement parce qu'il avait reconnu qui était ici. Ensuite, le fait d'entrer par l'arrière plutôt que par l'avant de votre magasin dénotait un complet amateurisme. La convention veut que l'on entre par derrière, mais, dans le cas de votre commerce, le plus sûr chemin était par l'avant. Ensuite, il y avait votre énervement, qui cadrait mal avec une tentative de vol contre laquelle vous étiez sûrement assuré. J'ai tout de suite eu l'impression que vous étiez à nous jouer une comédie... Dernière chose, la déchirure dans la cape de vison...

— Mais...

— Il y avait du sang sur le parquet et Camille Autant était mort dehors. Donc, quelqu'un d'autre avait
eu un coup ici. Le sang, la déchirure dans la cape de
vison, le fait que vous êtes sûrement un maître de fourrure... Je vous dis, chaque chose par elle-même n'avait
pas une grande signification, mais en les assemblant, en
essayant diverses manières, comme dans un puzzle, je
pouvais arriver à une solution... Et vous voyez, j'ai réussi...

Le cadavre était dans le coffre arrière de la voiture,
ainsi que le couteau. Verner avait dans sa poche le pistolet dont une balle avait tué Camille Autant. À la
banque, l'on déclara que les affaires de Verner allaient
très mal. Et la femme de Verner, bien que son témoi-
gnage ne pût compter, fit des aveux complets. L'affaire
était close. Mais si Camille Autant n'était pas allé épier
dans cette fenêtre, s'il avait su bien faire et laisser braire... Comme quoi la vie, c'est une bizarre chose...

LE TALISMAN DE SONIA

— Sonia, dit le lieutenant Morin, était un numéro pas ordinaire !

Maintenant, tous les faits avaient été compilés. C'est un résultat habituel au troisième jour d'une enquête criminelle. Voici le dossier, toutes pièces bien en ordre ; l'identification complétée, l'investigation de la victime et le début d'investigation des principaux suspects, s'il y en a.

Une feuille jaune, format papier ministre. Une liste imposante. Tout Sonia, un alphabet de défauts, de vices, d'actes et de comportement. Danseuse, d'une part. Chanteuse parfois. Complice autrefois d'une bande internationale de voleurs et de receleurs de bijoux précieux. Petite amie, à un moment ou l'autre, d'un nombre imposant de gens connus, inconnus, ou méconnus.

Jolie, intelligente, polyglotte, amorale, dépravée, sans scrupules, sans honneur. D'opinion générale, fort agréable à connaître à tous les points de vue. Esprit vif, passion libérée, de l'audace plein le corps.

— Autrement dit, conclut le sergent Leclerc, tu n'aurais pas voulu qu'elle soit ta sœur !

— Voilà !

Mais à la jolie Sonia devait arriver le pire. Quelqu'un, dans ces derniers jours, avait décidé que Sonia devait mourir et il l'avait tuée. Le sergent Leclerc, lui, abandonnait la partie avant qu'elle ne soit engagée.

— Tu te rends compte, dit-il à Morin, de la façon dont cette enquête va se développer ? La Sonia est Hongroise de naissance, élevée en Tunisie. Elle a étudié en Suisse, elle a habité les cinq continents, elle a des amis — et des ennemis sûrement — dans presque tous les pays du monde. Elle est tuée à Montréal, mais est-ce que cela veut dire que son meurtrier s'est installé ici à attendre la fin de notre enquête ? Cela veut-il dire qu'il habitait Montréal de toute façon ? Le gars, tu sais, il a pu partir de Tanger, venir à Montréal, tuer la jolie et filer vers le Mexique, ou les Bermudes, ou l'Amérique du Sud, ou les îles du Pacifique.

— Ou tout simplement Sainte-Agathe ou Saint-Agapit...

— Pourquoi ?

— Puisque tout est possible.

— Ah, oui, évidemment, si tu raisonnes de cette façon... Mais Sonia n'avait sûrement pas d'ennemi à Saint-Agapit !

Morin sourit. Il était serein, celui-là, il en avait vu bien d'autres. Leclerc pouvait, après vingt ans dans la police, conserver des illusions et laisser ses impulsions le mener. Morin, lui, conservait une sorte de vue objective des êtres et des événements. Et cela le servait souvent.

— Par exemple, dit Morin, on tue par haine, par besoin, par nécessité, par vengeance, ou par amour...

— Oh ! si tu commences un discours sur la théorie de l'assassinat !

— Pas du tout. Je te cite les principaux mobiles, mais il y en a d'autres. Des mobiles composites, formés de combinaisons possibles des facteurs de base.

Leclerc se renfrogna.

— Et Sonia, qu'est-ce que tu en fais ?

— Ceci : j'ai l'impression que nous allons trouver son meurtrier sans sortir de ce bureau.

— Tiens ? Moi, peut-être ?

— Non... Mais voici. D'abord, nous avons une liste considérable de gens qui fréquentaient les abords de la jolie Sonia. Grâce à son concierge, grâce à son barman, grâce à un ou deux maîtres d'hôtel, ici et là, dans Montréal, grâce à des amis soupçonnés, nous savons avec qui, ou à peu près, se tenait la jolie Sonia.

Morin sortit du dossier une autre feuille format papier ministre, blanche celle-là.

— Voici, dit-il, cette liste. Elle est variée, diversifiée. On y trouve toutes sortes de gens. Des politiciens connus, d'autres moins connus. Des gangsters, des gens bien, des industriels, des rastaquouères, des naïfs et deux ou trois personnes du sexe faible. Il semble assez évident que la belle Sonia entretenait envers ses congénères du même sexe une haine systématique. C'est fréquent chez une nymphomane.

— Nymphomane ?

— Mais oui ! C'est évident, d'ailleurs...

Morin sortit d'autres feuilles du dossier.

— Des copies d'interrogatoires, dit-il. Sonia acceptait les faveurs des plus riches et des plus pauvres, des humbles et des puissants. Si elle n'avait été que pratique, elle eût accepté tout ce qui pouvait lui être profitable, quitte à se garder un amant de cœur pour son apaisement sentimental... Mais non. Et je dois donc en conclure qu'elle était nymphomane. Bon, ceci dit, procédons. Nous avons pu questionner presque tous les gens sur cette liste et chacun a sa petite histoire. Il sera toujours temps de la vérifier.

— Ah, oui ?

— Oui... Moi, je pars d'un point très précis. Tu remarques une question que j'ai moi-même posée chaque fois, et que je t'ai demandé de poser de ton côté à chacun des hommes interrogés. À savoir : est-ce que Sonia était superstitieuse ?

— Oui, je me suis demandé pourquoi et je voulais t'en parler.

— Voici, dit Morin. Je t'ai dit que je partais d'un point précis. Lorsque nous sommes entrés dans l'appartement de Sonia et que nous l'avons vue sur le tapis pour la première fois, bien morte la pauvre, il y avait à son bras un bracelet auquel pendait une petite patte de lapin.

— Oui, c'est vrai.

— Sonia avait au doigt un diamant valant plusieurs milliers de dollars. Au cou, une rivière d'améthystes de très grande valeur. Dans tout l'appartement, il y avait profusion d'objets d'art, tous très rares et très coûteux. Il n'y avait rien, pas même les draps de lit, qui ne fût de grand prix.

— Oui.

— Sauf ce bracelet, valant au plus deux dollars et qu'elle portait au poignet, malgré ses autres bijoux, malgré son peignoir de prix, malgré tout...

— J'ai remarqué, oui.

— Mais tu n'as fait que remarquer et tu n'as pas tiré de conclusion !

— Non... Non...

— Moi, j'en ai tiré. D'après les interrogatoires, nous découvrons que Sonia n'avait aucun esprit superstitieux. Bien plus, et au contraire, elle s'évertuait à défier les augures. Elle renversait du sel, elle passait sous les échelles, elle se moquait du vendredi treize, elle cassait des miroirs. Elle y prenait même plaisir... Mais à son bras, elle avait ce talisman. Alors ?

— Je ne sais pas.

— Le raisonnement, Leclerc, qu'est-ce que tu en fais ?

— J'en fais qu'il faut d'abord avoir un point de départ.

— La patte de lapin et le bracelet de deux dollars !

— Ah ?

— Sûr... Pour quelle raison Sonia aurait-elle passé ce talisman à son bras ?

— Je ne sais pas, je ne vois pas.

— Puisqu'elle se moquait des superstitions, ne doit-on pas en conclure qu'elle a passé ce bracelet en dépit de ses propres opinions pour faire plaisir à quelqu'un ?

— Tiens ?

— Oui... Quelqu'un de spécial !

— Mais alors...

— Minute... Il y a cent noms sur la liste. J'ai une dizaine de policiers qui sont à enquêter sur chaque personne. Pour l'instant, mon raisonnement est rendu au point que voici. Sonia avait rencontré quelqu'un qui lui plaisait suffisamment pour qu'elle consente à oublier ses moqueries. Le cas est fréquent chez une fille de sa sorte. C'est la durée d'un béguin du genre qui est souvent désappointante. Surtout pour le gars qui s'est fourré dans un tel guêpier... Sonia avait consenti à passer le bracelet. Que s'est-il passé au juste ? Moi, je crois que notre homme avait réussi à inspirer à cette fille un sentiment assez beau, pour passager qu'il fût. Disons que Sonia éprouvait ce qu'elle pouvait appeler de l'amour, ne connaissant pas la véritable signification du mot. Pour prouver son amour, elle a porté le bracelet. Mais notre homme est devenu plus exigeant, probablement. Je veux dire qu'il a sûrement tenté de rescaper Sonia.

— Pardon ?

— Oui, c'est classique. Un homme intègre aime une jeune fille qui l'est moins. Il inspire à ladite jeune fille un sentiment proche de l'amour. Première réaction de l'homme intègre : rescaper cette fille de la vie qu'elle mène et lui offrir son cœur, une maison coquette et la paix conjugale.

— Tu crois que...

— Seulement, Sonia, même si elle aimait bien le jeu de l'amour, n'en était pas pour tout cela une prosélyte de la vie conjugale. M'est avis, en fait, qu'elle a dû éclater de rire. Je l'entends... « Tu sais, mon bonhomme, je t'aime bien et je peux t'aimer encore plus. Seulement, faut être sérieux, faut pas dire de bêtises. Ton histoire de conjugo, moi, je me l'envoie... Tu vas être gentil, tu vas m'aimer tout plein, mais pour le mariage, décompte-moi... »

— Ah, tu es fort, toi ! dit Leclerc.

— Il me semble que je l'entends, je te dis. Après, l'amoureux, il a vu rouge... Je dirais même qu'il était sûrement venu pour en finir, d'une façon ou de l'autre. Ou l'amour, ou la mort ! Il était probablement armé. En tout cas, on ne retrace aucun revolver au nom de Sonia, et elle a été tuée avec un revolver de calibre 32. L'amoureux était armé, et il avait décidé d'en finir. Ce soir-là, ou Sonia acceptait de partager sa vie, ou il la tuait. Amoureux fou, amoureux bête, épris jusqu'à la mort, tous les clichés, enfin, il fallait décider le tout pour le tout.

— Et tu crois vraiment tout ça ? Tu l'as imaginé seulement à voir le bracelet de deux dollars au bras de Sonia ?

— Oui.

— Et qu'est-ce que cela te donne ? Tiens-tu ton homme ?

— Presque...

Un secrétaire entra, portant une liasse de feuilles.

— Voici, dit-il, le rapport des enquêtes sur chacune des personnes dont vous nous avez donné le nom.

— Merci.

À Leclerc, il dit, une fois le secrétaire sorti :

— Avec ça, j'ai mon homme !

— Je le croirai quand ce sera fait, dit Leclerc.

Morin se plongea dans l'examen de chaque enquête. À la fin, il se leva.

— Viens, dit-il.

Il entraîna Leclerc à l'autre bout de la ville, jusqu'à une maison modeste. Il était déjà six heures du soir. Il pressa un timbre à la porte d'une petite maison de rapport de quatre logements. Une femme vint ouvrir. Sans âge, peu méfiante.

— Monsieur Ledoux demeure ici ? demanda Morin.

— C'est mon pensionnaire, dit la dame. Il vient de rentrer de son travail.

Appelé, un jeune homme parut, à peine vingt-cinq ans, modestement mis, le visage tiré. Quand il vit l'insigne de détective de Morin, il inclina sobrement la tête.

— Je savais que c'était inévitable, dit-il. Oui, c'est moi qui ai tué Sonia. Je ne le regrette pas. Je ne pouvais vivre sans elle, et je ne pouvais me résigner à la laisser continuer à vivre si elle n'était pas à moi.

Plus tard, au bureau, Leclerc voulut savoir.

— Comment as-tu fait pour mettre le doigt dessus, comme ça ?

— J'ai joué de chance, dit Morin. Il a avoué. S'il ne l'avait pas fait, il aurait fallu que j'établisse une preuve légale. Mais la preuve morale, je l'avais.

— Comment ?

— Écoute, tous les amis de Sonia, ou presque, étaient des gars mûrs, d'abord, donc peu susceptibles de commettre une pareille folie. Il fallait que le gars soit jeune. Autre chose : la plupart d'entre eux étaient riches. La patte de lapin eût été pendue à un bracelet valant mille dollars. Celui-là valait deux dollars. Notre homme, le dénommé Ledoux, gagne soixante dollars par semaine. Lui seul ne pouvait offrir à la jolie Sonia qu'un talisman de deux dollars... Mais tu vois, Leclerc, en fait, c'était simple. Il s'agissait de savoir pourquoi Sonia-la-Luxueuse avait consenti à passer à son poignet un bracelet aussi misérable. Partant de là, c'était classique. Tu le vois, c'était classique !

LES MURS DE JÉRICHO

Avec un bel ensemble, Morin, sergent-détective, et son supérieur, le capitaine Colbert, tombèrent dans un profond silence en voyant le beau gâchis. Si le concierge avait raison, si la mort de Delson était un meurtre, on ne pouvait trouver mieux. Et comme gâchis, certes, c'en était un.

La maison se dressait sur trois étages, ancienne résidence convertie en appartements. Assez minable, dans l'ensemble, malgré ses faux airs de vieille duchesse, la maison était un peu en retrait de la rue. Derrière, il y avait un jardin. Gazon poussif, un arbre trop seul et trop vieux. Autour de ce jardin, un ancien mur de pierre. Le pan du fond, celui qui donnait sur la ruelle, était tombé, monceau de pierres noirâtres. Delson gisait dessous. Ce n'étaient pas des on-dit : on voyait un bras qui sortait de l'amas. Une main sans vie. Delson était mort, personne n'en pouvait douter.

— Je vous assure, répétait le concierge, que ce n'est pas un accident. Il se prenait aux cheveux avec sa femme.

— Il y a bien des gens, dit finalement Colbert, qui se battent ainsi, et ils ne se tuent pas l'un l'autre. En fait, ce sont ceux qui se tuent le moins.

— Hier soir, encore, insistait le concierge, et ce matin...

— Qu'est-ce qui s'est passé, ce matin ?

— On les entendait dans toute la maison. Et vous savez ce qu'elle a dit, la femme ? Elle a dit à son mari de prendre bien garde, qu'un accident lui arriverait au moment où il s'y attendrait le moins. Et vous voyez, l'accident est arrivé.

Colbert fit le tour du mur écroulé et alla un moment dans la ruelle. Le concierge, un gros, court, gras, poisseux, porcin, aux yeux de fouine, l'observait. Morin, lui, mesurait de l'œil les distances. Il savait quelles questions poserait Colbert. Le capitaine revenait.

— Delson habitait l'appartement du bas, en arrière ?

— Oui.

— Il avait donc facilement accès à la cour ?

— Oui. C'était d'ailleurs le seul à y venir. Remarquez que tous les autres locataires peuvent s'en servir, de cette cour, mais seul Delson en profitait.

— Il y venait souvent ?

— Vous voyez la chaise sous l'arbre ? C'était sa place. Les jours de soleil, il y venait s'asseoir. Pas tous les jours, mais souvent.

— C'est loin du mur, constata Colbert.

— Oui, c'est loin...

Un homme a des habitudes. Il fait des gestes, obéit à une certaine similarité de mouvements chaque jour. De venir dans la cour, de venir s'asseoir sous l'arbre ne supposait pas qu'il ait pu, sans raison aucune, aller près du mur.

— Pourquoi, dit Morin, est-il allé près du mur ?

Et puis aussi, avouons-le, il pouvait être allé près du mur par simple... caprice, disons, sans savoir pourquoi, une dérogation à la coutume acquise.

— Il est allé près du mur, dit Colbert à son tour. Le mur est tombé. Cela peut être un simple accident.

— Je vous assure, dit le concierge, que si vous aviez entendu tout ce que j'ai entendu, moi, vous n'y croiriez pas, à l'accident.

Le concierge s'appelait Arthur Honert. Il lui restait un peu d'accent belge, mais l'on sentait bien qu'elles étaient loin derrière, les origines wallonnes.

— Déblayez, dit finalement Colbert. Nous verrons bien.

Hors le cadavre mutilé, méconnaissable, il n'y avait rien à voir. À l'autopsie, même chose. L'homme était mort sous l'éboulis de pierres. Il n'y avait aucune blessure préalable. Les organes digestifs ne contenaient ni soporifique, ni poison. C'était le beau semblant d'une mort naturelle.

— Et pourtant, avoua Colbert à son second, le sergent Morin, je flaire un meurtre.

— Il fait beau voir, dit Morin, nous voici au sein du plus pur romanesque. Un détective qui a du flair et l'utilise ! Moi, j'appelle ça un accident. J'ai écouté le concierge Honert, c'était le moins que je pouvais faire. Mais entre les commérages d'arrière-cour et la réalité... Le gars s'est promené près du mur, un vieux mur branlant. Le mur est tombé, le gars était dessous. Résultat, il en est mort.

À l'hôtel de ville, un fait troublant. Mais si peu, si peu. Le mur en question était bel et bien condamné. Le propriétaire de la maison avait été avisé de le démolir. Le propriétaire, rejoint au téléphone, se jeta en de longues lamentations. Quoi, le mur n'avait pas été démoli ? Il avait pourtant donné ordre au concierge...

— Allons voir le concierge, dit Colbert.

L'homme était maussade, mal-à-main.

— Qu'est-ce que vous avez à craindre ? dit-il. Pourquoi ne pas aller là où est le coupable ? C'est sa femme ! C'est elle. Vous ne lui avez même pas parlé !

— Le propriétaire vous a dit de démolir le mur ?

La question vint en surprise à Honert.

— Moi ?

— Oui, vous.

Honert hocha la tête. Ses yeux rapetissèrent. Il hésita un moment avant de répondre.

— Il m'a dit de le démolir, oui... lorsque j'en aurais le temps.

— Et vous n'avez pas eu le temps ?

— Non.

Morin s'impatientait.

— Il s'est démoli de lui-même, dit-il. Le cas est réglé.

Mais Colbert restait là, immobile. Ils étaient tous dans la cour où avait eu lieu l'accident. Depuis le matin, le concierge rangeait les pierres en rangs cordés, près de la maison.

— Il faudra reconstruire un autre mur, dit-il. C'est bien dommage, le vieux avait du charme. J'aime les vieux murs.

Sur le gazon de la cour, une longue marque brune à angle droit avec la ruine du mur. Colbert était à deux pieds dessus. Il fixait le sol. Comme si cette marque, cette ligne, lui indiquait une sorte de position clé.

— Cette marque, dit-il au concierge, qu'est-ce que c'est ?

— Je ne sais pas.

— Ah, non ?

— Je me souviens, oui, dit l'homme d'un air faussement calme. J'avais mis une corde à sécher ici.

— À sécher ?

— Au soleil.

— Sur le gazon ? Ça ne peut pas sécher très bien.

— C'était sans importance. Un vieux câble...

— Allons voir la femme de la victime, dit Colbert.

Honert le concierge fit la moue, mais il ne dit rien, et les deux détectíves se rendirent chez la veuve éplorée que des voisines consolaient. Ils trouvèrent une femme aux lèvres pincées, aux yeux durs, qui semblait n'avoir qu'une idée fixe.

— Je me vengerai, répétait-elle entre ses dents, je me vengerai. Je me vengerai !

Ils ne purent en tirer plus long. Les voisines n'avaient rien vu, rien entendu. En revenant dans la cour, Colbert était songeur.

— On se venge, dit-il, lorsqu'on croit avoir été lésé, ou attaqué. On se venge de quelqu'un.

Honert continuait à travailler près du mur, cordant les pierres. Quand les deux détectives arrivèrent, il sembla avoir un geste furtif pour cacher quelque chose. Vitement, Colbert alla le lui arracher. C'était une courte barre de métal possédant un anneau soudé au centre. Il y avait un brin de corde microscopique après l'anneau. Sous une pierre, non loin, un rat mort. Colbert prit le rat dans sa main.

— Il a été tué par la chute du mur, dit Honert.

Colbert sourit.

— Oui, dit-il, sa mort est liée de très près à la chute du mur. Comme la marque brune, comme la barre de fer et l'anneau. Et la veuve qui va se venger.

Il retourna avec Morin chez la femme de la victime.

— Moi, je peux vous venger, dit-il.

La femme était à demi hystérique.

— Il passait son temps ici au début. Il rendait service. Ensuite, il s'est mis à me faire des avances, et ensuite, des propositions. Il savait pourtant que j'aimais mon mari.

— Vous vous disputiez souvent avec lui...

— Mais non ! C'était avec mon frère qui venait ici

nous importuner. Avec mon mari, je ne pouvais pas me disputer... Il était muet. Sourd-muet...

Colbert en savait assez. Il ramena Morin vers le concierge Honert.

— Un crime mal construit, dit Colbert au concierge. La barre de fer était de l'autre côté du mur, la corde dans l'anneau traversait la pierre. Elle était par terre. Elle y a été plusieurs jours, vous attendiez l'occasion. La femme de la victime vous a repoussé, vous vous êtes vengé sur ce qu'elle aimait. Delson est venu dans la cour. Le rat mort dans la fente du mur l'a intrigué et, comme il s'est approché pour voir, le mur est tombé. Le mur est tombé parce que vous avez tiré sur le câble. Après, vitement, vous avez fait disparaître la corde, puis vous avez crié à l'aide.

Colbert fit une moue intriguée.

— C'est bête, Honert, et j'aurais pu passer à côté, mais il me semblait que vous aviez un regard d'assassin. Seulement, je n'avais pas de mobile. Tuer pour se venger d'une femme qui vous rejette, c'est un drôle de métier, vous ne trouvez pas ? Chose certaine, il n'est pas payant.

Et à Morin il dit :

— Le flair, tu vois, c'est plus efficace qu'on ne le croit généralement... Amenons notre homme, veux-tu ?

LE TALON D'ACHILLE

— Je ne comprends rien à ça, dit le contremaître, Achille Héneault possédait un équilibre parfait. Il est avec moi depuis dix ans.

Pour l'instant, il ne s'agissait que d'un accident. La remarque du contremaître fut dûment inscrite dans le rapport des deux agents de la radio-police qui vinrent aux constatations. En fait, Gravel et Morin, de l'escouade des homicides, ne furent alertés que le lendemain de l'accident. Encore ne l'étaient-ils que sur de bien vagues soupçons.

Un garçon de la taverne sise non loin du chantier de construction et fréquentée par les monteurs de charpente métallique téléphona à Gravel. C'était peu, ce qu'il avait à dire, mais c'était, d'une façon, presque suffisant. Entre deux chemins, choisir le bon. Victime d'un accident, ou victime d'un meurtre. L'appel téléphonique suffisait à établir le soupçon de meurtre. Il était donc louable qu'un criminel fût puni.

Ce que le garçon de la taverne disait, c'était qu'un homme ayant trop bu avait menacé un autre homme, tout autant ivre, de lui faire subir le même sort qu'avait subi le défunt. Pouvait-il, ce garçon, identifier le grand parleur ? Non. Son compagnon ? Pas plus. Il ne connaissait ni l'un ni l'autre. Il savait toutefois que ces gens venaient assez souvent à la taverne, qu'ils travaillaient tous les deux à la construction de l'édifice où était mort Achille Héneault.

Gravel et Morin montèrent le guet. Inutile de prendre le mors aux dents, affirmait Gravel. Partir d'un point mort, autant se bien assurer d'un élan raisonnable. Et rien comme attendre, guetter, écouter, patienter. La taverne était achalandée, un constant va-et-vient. Bruyante aussi, enfumée, imprégnée d'une écœurante odeur de sueur et de bière rance. Gravel et Morin endurèrent deux jours l'ambiance. Puis le garçon vint à leur table.

— Là-bas, dit-il, ces deux-là.

Seuls ensemble, deux hommes. Un gros, l'air brutal, les yeux creux et embroussaillés. Un grand maigre, bilieux, joues hâves. Ils ne semblaient certes pas s'être installés là pour le simple plaisir. Quelque chose existait entre les deux... mais quoi ?

Gravel fut inspiré. Il jeta un regard circulaire. Ce qu'il vit le laissa songeur. La taverne était pleine d'ouvriers employés à la construction de cet édifice. Et Gravel se rendit compte que le vide s'était fait autour du gros et de son compagnon. Et que plusieurs ouvriers semblaient regarder le couple avec... était-ce de la crainte ? Cela y ressemblait fort. Disons une sorte d'air d'être sur la défensive.

— Je n'en ai pas besoin de plus, dit Gravel à Morin. Il y a quelque chose ici qui est louche. Mais quoi ? Tu vas me mettre deux hommes là-dessus, deux bons hommes habiles, de ceux qui vont fouiller creux. Je veux le nom du gros, je veux savoir qui il est, comment il vit, tout enfin, tout. Dis-leur que le moindre détail, même s'il leur paraît insignifiant, peut me servir. D'accord ?

Mais il n'entendait pas en rester là. Ce que découvriraient les hommes éclairerait un aspect seulement du problème. Restait l'autre. Était-ce un meurtre ? Commis par le gros homme ? Pourquoi ? Et surtout, comment ? Le rapport de l'accident disait qu'au vu et au su de tous, Achille Héneault, la victime, avait soudain perdu pied et était tombé. Il n'y avait personne à côté de lui, personne à portée qui eût pu le pousser, le faire trébucher. Donc ? Et pourtant, ça sentait le meurtre. Ça le sentait à plein nez.

— Viens, dit Gravel à Morin. Retournons au quartier général. Là, tu t'occuperas de faire filer le gros. Moi, j'ai autre chose à faire.

Ce qu'il avait à faire, c'était de lire attentivement le rapport d'autopsie. Il n'y trouva rien et convoqua le médecin légiste.

— Je viens de lire ce rapport, dit-il en tendant le papier.

Le médecin légiste hocha la tête.

— J'y ai mis ce que j'ai trouvé.

— Mais c'est peu.

— Oui.

— En fait, rien. Le gars, dites-vous, est mort de sa chute ?

— Oui.

— Vous en êtes sûr ?

— Absolument. Tout d'abord, il n'était pas mort quand il a heurté la brique. Et ensuite, sur les six blessures graves, six pouvaient le tuer. Le crâne fracturé, la poitrine défoncée, le foie éclaté, les intestins perforés, la colonne vertébrale rompue à trois endroits, la tête à demi arrachée du tronc. Qu'est-ce que vous voulez de plus ?

— Et les organes ?

— J'y ai songé. Dans une autopsie de ce genre, il faut penser à tout. J'ai fait les tests habituels. Aucune substance narcotique, aucun poison connu, aucun sédatif, aucun excitant. Déjeuner normal, aucune ingurgitation subséquente.

— Et l'on me dit que l'homme avait un équilibre admirable...

— Un corps très sain, poursuivit le médecin légiste. Extrêmement bien constitué, comme j'en vois rarement sur la table d'autopsie. Qu'il ait eu un tel équilibre ne me surprend pas du tout.

— Et pourtant, il est tombé ! dit Gravel. Voilà le mystère !

— Oh ! mon Dieu, un mystère ! Je croirais plutôt à un instant d'inattention.

— Même s'il pense à toute autre chose, son subconscient travaille pour lui...

Le médecin légiste ne pouvait être que d'accord avec Gravel.

Quand il fut parti, le chef de l'escouade des homicides resta longtemps songeur, mais ses réflexions n'apportaient rien. Plus il réfléchissait, moins la lumière se faisait. Personne n'avait pu pousser Héneault. L'homme, de plus, n'avait rien ingurgité. Il était doué d'un parfait équilibre. Il était en pleine possession de toutes ses facultés. Alors quoï ? Et pourtant, il était tombé... Quel bizarre événement !... Et ce gros, sorte de gorille, brute à face humaine, suant, malpropre, aux yeux porcins, dont les ouvriers s'écartaient d'instinct...

Morin revint, à la fin de la journée. Il avait lui-même établi l'enquête sur le gros, avec l'aide de deux détectives. Ils rapportaient un dossier complet.

L'homme habitait le centre de la ville. Il vivait dans l'affluence, littéralement. Appartement luxueux, voiture de marque. Il n'était pas marié, mais on sentait bien qu'il ne s'ennuyait pas. Le concierge avait parlé de la parade constante de belles filles qui visitaient le gros balourd. Mais alors, s'il jouissait d'une telle affluence pourquoi travaillait-il comme simple ouvrier, chaque jour ?

— Voilà, dit Morin. Nous avons découvert quelque chose qui est de première importance, je crois. Nous avons posté un homme qui s'est fait passer pour ouvrier. Toute la journée, le gros a rôdé autour de lui. Notre homme affichait un air triste. À la fin de la journée, le gros l'a amené à la taverne et il l'a questionné. Suivant mes instructions, notre homme a dit qu'il était dans de grandes difficultés.

— Et puis ?

— Le gros lui a offert un prêt immédiat de deux cents dollars, remboursable à raison de vingt dollars par semaine pendant douze semaines !

— Quoi ?

— Douze semaines !

— Douze semaines ? Deux cent quarante dollars pour deux cents ? C'est plus que 80% d'intérêt par année !

— Exactement.

— Je comprends qu'il soit dans l'affluence. Et je comprends qu'il reste ouvrier. Ainsi il a une clientèle de plusieurs centaines d'hommes constamment à sa disposition, et en plus, il peut surveiller les remboursements.

— Et voilà pourquoi les gens à la taverne semblaient le craindre.

— Et voilà pourquoi, s'exclama Gravel, même si l'on se doute bien qu'il est pour quelque chose dans la mort de Héneault, personne n'ose parler ! Tous lui doivent de l'argent !

— C'est justement ma théorie, dit Morin.

— Seulement Héneault est tombé tout seul. Héneault n'avait aucune raison de tomber...

— Il devait mille dollars au gros. Il n'avait pas payé de remboursement depuis trois semaines. Le gros l'avait menacé.

— Et le garçon de la taverne...

— ... a bien dit, au téléphone, que le gros avait gueulé : « La même chose t'arrivera qui est arrivée à Héneault ! J'y verrai. »

— C'est assez clair, conclut Gravel, sauf que, maintenant, il faut des preuves. Ah ! si je pouvais savoir comment Héneault est tombé !

— Tu crois vraiment que le gros... Incidemment, il s'appelle Romuald Valin... Tu crois vraiment que Valin a tué Héneault ?

— Toi, Morin, dit Gravel, tu ne le crois pas ?

— Oui... évidemment, tout l'indique... Mais...

— Mais nous n'avons pas de véritable preuve. Achille Héneault, mon vieux, a été disséqué sur le long et sur le large par le médecin légiste, de la tête aux talons.

Morin, qui arpentait le bureau de Gravel, eut soudain une exclamation :

— Tu as fait tes études classiques, Gravel ? Écoute... Tu viens de le dire ! Tu l'as trouvé !

— Trouvé quoi ?

— Tu as dit que le cadavre de Héneault avait été disséqué de la tête aux talons ! En es-tu bien sûr ? Si tu as fait ton classique, tu devrais comprendre !

— Je t'assure que je ne vois pas du tout, mais pas du tout ce que tu veux dire.

— Comment se prénomme Héneault ?

— Achille.

— Tiens, tiens !

— Le talon d'Achille...

— Oui.

— Mais...

Morin exultait. Il n'y avait pas de véritable rivalité entre les deux hommes. Morin respectait le talent de son chef, Gravel. Toutefois, il ne lui déplaisait pas d'avoir ainsi trouvé la première véritable piste. Mènerait-elle à une preuve ?

— Dans un édifice en construction, dit Morin, le vacarme est assez infernal. Pendant qu'une riveteuse fonctionne, peut-on entendre autre chose ? Et s'il y en a dix, vingt qui fonctionnent à la fois ?

Gravel, ébahi, regardait son subalterne.

— Dis donc, je crois que tu as raison !

— Or, où était Romuald Valin au moment de la chute ?

— À l'étage inférieur, à peu près au centre, alors que Héneault était tout au bord, rivant des travers à une colonne de coin.

— Bon... Or, Valin n'a-t-il pas pu, sans que personne ne le voie...

Gravel étendit la main.

— Un instant, il y a moyen de vérifier.

Il souleva l'appareil téléphonique et demanda que l'on envoie le médecin légiste à son bureau. L'expert arrivait deux minutes plus tard.

— Docteur, dit Gravel, une dernière question, que je crois la plus importante. Vous dites que vous avez disséqué à peu près complètement le cadavre d'Achille Héneault ?

— Oui.

— Et d'après vous, rien ne vous a échappé ?

— Absolument rien.

— Pourtant le meurtrier d'Achille Héneault, j'en suis maintenant persuadé, a compté sur une chose. Une chose tellement usuelle, tellement normale que vous n'y songez même pas.

— Qu'est-ce que vous voulez dire ?

— Quand vous disséquez un cadavre, vous le laissez sur le dos, n'est-ce pas ?

— Naturellement. Après un examen de l'épiderme du dos pour découvrir des lésions possibles, le cadavre est ensuite couché, sur le dos, et nous procédons à la dissection.

— Cet examen de l'épiderme consiste à scruter le dos, n'est-ce pas ?

— Oui.

— Jusqu'aux talons ?

— Pardon ?

— La victime s'appelait Achille, docteur. Cet homme est tombé sans raison apparente, comme si, tout à coup, il avait eu une faiblesse... des talons. Vous ne voyez pas le rapprochement ?

— C'est que...

— Avez-vous examiné les talons de la victime, docteur ?

— Euh !... non.

— Non. Voulez-vous, je vous prie, examiner les talons de la victime ? Les talons d'Achille ? Ces talons, qui, selon la mythologie, étaient si vulnérables ? Vous ne voyez donc pas ? Pour faire tomber un homme perché si haut et dont l'équilibre est admirable, il n'y a qu'un moyen sûr, c'est un croc-en-jambe, une jambette, comme on dit. Mais comment donner une jambette à distance ? Je suis persuadé que vous trouverez un plomb de pistolet d'entraînement dans l'un des talons. Vous m'objecterez que l'assassin aurait pu tirer dans l'arrière du genou, ou le gras de la jambe, mais il était au courant des procédures de dissection. Il a tablé sur le fait que rarement, à peu près jamais, un médecin légiste examine les talons... Car, enfin, pourquoi le ferait-il ? En fouillant la maison de Romuald Valin, nous trouverons le pistolet. En fouillant le talon d'Achille, nous trouverons la balle.

Ainsi fut fait. L'on trouva, dans le talon d'Achille Héneault, un plomb, et dans l'appartement de Romuald Valin, un pistolet, de même que quelques cartouches à charge augmentée afin d'assurer la pénétration du plomb à travers la lourde botte de cuir de la victime.

Romuald avoua son crime. Il avait voulu faire un exemple, démontrer aux ouvriers qui lui devaient de l'argent qu'il était très malsain de ne pas rembourser. Profitant du vacarme des riveteuses et d'un moment où, caché par les barriques de métal, il voyait très bien Achille Héneault à l'étage supérieur, en équilibre sur la poutre d'un pied de large, il lui avait tiré une balle dans le talon. Le choc avait projeté Achille en bas, où il s'était écrasé sur le tas de briques. L'erreur de Romuald n'avait pas été dans la commission du crime lui-même, qui avait été à peu près parfait, mais bien plutôt de trop boire, de ne pas savoir tenir sa langue et de proférer des menaces dans la taverne, là où il avait été entendu et rapporté.

— Comme quoi, conclut Gravel, ce n'est pas la perfection des crimes qui manque, mais la véritable intelligence des criminels.

L'ÉCRIN DU BONHEUR

La femme fouilla nerveusement dans un classeur, en sortit des dossiers qu'elle examina, mais ses mains tremblaient et on la sentait incapable de se concentrer.

— Il faudrait me donner le temps, dit-elle. Je ne peux pas, comme ça. C'est terrible, vous savez, ce que vous me dites.

Le lieutenant Morin eut un sourire narquois.

— Vous n'avez jamais pensé que c'était possible ?

Colbert, son adjoint, lui fit un signe discret. La femme se tordait les mains.

— Bon, dit Morin, nous reviendrons. Entre-temps, cherchez bien. Sinon, je me chargerai moi-même de fouiller dans vos registres.

Les deux policiers sortirent. Sur le palier, Colbert retint Morin par le bras.

— Écoutez, patron, c'était inutile. Elle est bouleversée. Il valait mieux la laisser chercher à loisir, quand elle sera remise.

Morin sourit.

— Galant Colbert... Elle n'est pas mal pour une femme de quarante ans.

Il scruta la plaque fixée à la porte du bureau : *L'Écrin du Bonheur*, agence matrimoniale.

— Tu sais, dit-il à Colbert, il devrait y avoir des lois plus sévères pour régir ces entreprises.

— Des lois ? fit Colbert. Quelles sortes de lois ? À moins de les supprimer complètement. Aucune loi ne peut régir la nature humaine.

Ils retournèrent sur les lieux du crime. On achevait de faire les relevés. Le corps de Maurice Hugeon avait été emporté par la voiture de la Morgue. Il ne restait qu'un expert du laboratoire qui complétait son rapport.

— Rien ? demanda Morin.

— Presque rien. La victime est sortie hier soir entre onze heures et minuit.

— Ah !

— Il y avait de la boue récente, mais sèche, contre le talon du soulier.

— Récente ?

— Nous avons des moyens de le déterminer, dit l'homme en souriant. Il n'a pas plu depuis cinq jours, sauf hier soir, entre onze heures et minuit.

— Et alors ?

Cela pouvait être sans importance, et aussi signifier beaucoup. L'enquête, après tout, ne faisait que commencer. L'expert sortit et Morin se retrouva seul avec Colbert.

— D'après nos conjectures, dit Colbert, notre homme a passé la soirée d'hier ici, à lire en robe de chambre.

— Oui.

— Tout l'indique. S'il a eu la visite de cette amie qu'il s'est faite par l'entremise de l'agence *L'Écrin du Bonheur*, pourquoi serait-il sorti ? Nous avons établi qu'il a été tué ici.

Morin était soucieux. Il resta silencieux un moment, puis, au téléphone, il composa le numéro du quartier général de la police.

— Je veux, dit-il, que vous mettiez des hommes au travail immédiatement. Je veux qu'ils visitent tous les établissements de commerce autour de la maison de Maurice Hugeon qui a été assassiné vers minuit hier soir. Je veux savoir si Hugeon est sorti et ce qu'il a fait.

Les hommes de l'escouade avaient apporté des photos de Hugeon trouvées dans son appartement et déjà, question de routine, ils en avaient fait tirer des copies au laboratoire.

— Attendons, dit Morin.

— Moi, je fouille un peu, dit Colbert.

— Pourquoi ? demanda Morin.

— Je ne sais pas. Une idée.

— C'est pourtant clair jusqu'ici, répliqua Morin. Dans la poche de la victime, il y avait une lettre de cette amie rencontrée par l'entremise de l'agence. Hugeon lui avait appris qu'il ne l'épouserait pas et la lettre donnait tous les signes de la colère, du désespoir et promettait vengeance. Trouvons qui a signé *Petit Pigeon*, et c'est fait, nous tenons l'assassin.

— Oui ?

— Je le crois. À moins que tu n'aies une meilleure idée.

Colbert fouillait. Il était rendu dans la chambre et il vidait des tiroirs. Soudain, il eut une exclamation :

— Tiens ?

Il revint, portant une liasse de lettres attachées ensemble par un ruban. Colbert scruta les lettres une à une. Son visage se tendait petit à petit, se crispait.

— Qu'est-ce qu'il y a ? dit Morin.

— Fier gars, le dénommé Hugeon, commenta froidement Colbert. Il correspondait avec quatre personnes, quatre filles célibataires d'un certain âge. Il y a ici des lettres qui me prouvent au moins une chose...

— Laquelle ?

— Hugeon a parlé de mariage à au moins trois des quatre.

— Et *Petit Pigeon* ?

— Ses lettres à elle ne sont pas ici. Sauf celle qui était dans sa poche, je n'en vois pas d'autres... Elle était la cinquième.

— Ah ?

Morin maintenant aidait Colbert dans sa fouille de l'appartement, mais ils ne trouvèrent rien de plus. Une heure se passa, puis une autre. Il n'y avait de recoin qu'ils n'eussent scruté à la loupe et toujours rien. Le téléphone sonna. Morin alla répondre.

— Oui... Ah ! oui ?... Et qu'est-ce qu'il a acheté ?... Tiens, tiens... Non, je vous remercie, c'est tout. Oui, vous pouvez retourner au bureau.

Il raccrocha.

— On a découvert quelque chose ?

— Oui. Hugeon est allé à une pharmacie, entre dix et onze heures, il a acheté des pilules de nitroglycérine.

— Il était cardiaque ?

Vers quatre heures, le médecin légiste téléphona à Morin et lui transmit le rapport de l'autopsie.

— Rien de spécial. Il est mort d'une balle à la tête.

— Et l'heure du crime ?

— À peu près minuit.

— Est-ce qu'il était cardiaque ?

— Non, il était en florissante santé.

Après, Morin était encore plus soucieux.

— Que savons-nous, résuma-t-il. Tous les voisins et le concierge jurent que c'était un homme très affable, très sérieux, très rangé, qu'il n'avait aucun ennemi, et qu'il n'était pas du genre à en avoir. L'on n'a rien vu, rien entendu hier soir, sauf que quelqu'un a cru entendre un éclatement de pneu. C'était probablement le coup de revolver qui a tué Hugeon... Nous savons qu'il n'était pas cardiaque et qu'il a acheté des pilules de nitroglycérine, pilules que nous ne retrouvons pas dans l'appartement. Nous savons que c'était un don Juan et qu'il s'était inscrit à l'agence matrimoniale *L'Écrin du Bonheur*. Nous savons qu'il correspondait avec cinq personnes... Et puis ?

— C'est tout.

— Allons à l'agence encore une fois, dit Morin. La dame a peut-être retrouvé qui signait *Petit Pigeon*...

La dame l'avait trouvé en effet. Elle était beaucoup plus calme.

— Vous savez, dit-elle, je ne comprends rien à tout cela. Je fais tellement attention de ne pas inscrire sur nos listes des gens peu recommandables... Des gens qui s'assassinent entre eux, par exemple.

— Oh ! ça, dit Morin, comment le prévoir ? Hugeon a tout de même pu correspondre avec cinq de vos abonnées. Vous n'avez pas eu de soupçons ?

— Mais non, c'est assez normal. Après tout, pour choisir l'âme sœur, il faut pouvoir ouvrir l'écrin, n'est-ce pas ? Choisir parmi tous les bijoux...

— Ouais, fit Morin. Et cette demoiselle qui signait *Petit Pigeon* ?

— Moi, interrompit Colbert, je veux quatre autres noms.

Il montra la liasse de lettres.

— Nous attendons, dit-il.

Morin ne dit rien. Il regardait curieusement Colbert. Quinze minutes plus tard, ils avaient cinq noms, cinq adresses.

— L'une d'elles, dit Colbert, a tué Hugeon.

— Mais pourquoi pas *Petit Pigeon,* plutôt que les autres ?

Colbert haussa les épaules.

— Autant elle que les autres, mais pas plus elle que les autres.

Le travail reprenait, patient, lent. Ces recherches

qui n'en finissent plus ; trouver des adresses, s'y rendre, questionner, le labeur éternel du policier. Ces fouilles méticuleuses où rien ne doit être négligé, où chaque geste, chaque mot, la moindre petite trouvaille compte.

Trois visites.

La première fille avait un alibi spontané, véritable, qui l'exonérait du coup. La deuxième était une invalide qui ne sortait pas. La troisième n'était pas *Petit Pigeon.* C'était une fille plus jeune que les deux autres, assez jolie, grande, de maintien serein. Elle avait lu la nouvelle dans les journaux.

— Vous savez, dit-elle, je m'attendais un peu à vous voir arriver.

— Ah ! oui ? fit Morin.

— Maurice n'avait sûrement pas détruit mes lettres et je sais bien que la police enquête dans toutes les directions lorsqu'un crime est un peu difficile à résoudre.

— Maurice Hugeon vous a parlé de mariage ?

— Oui.

— Mais il a retiré son offre par la suite ?

La fille haussa les épaules, sourit.

— Oui... mais comme je n'y comptais pas tellement...

— Vous avez les lettres de Hugeon ici ?

— Oui.

— Nous pourrions les voir ?

La fille vira sur ses talons, marcha vers l'escalier et monta deux marches, mais elle se ravisa et appela.

— Julie ? Julie, venez ici, je vous prie.

Une servante émergea de l'arrière de la maison.

— Allez, je vous prie, dans ma chambre. Dans le coffret bleu, sur ma table de toilette, vous trouverez des lettres. Apportez-les, je vous prie.

Se tournant vers les policiers, elle ajouta :

— J'oublie toujours que j'ai une bonne et que je n'ai pas à marcher pour rien.

112

— Où étiez-vous hier soir ?

— Ici, toute la soirée.

— Vous pourriez le prouver ?

— Non.

Calmement dit, et Morin sentit bien le dilemme. C'était la parole de la fille contre la leur.

La bonne revint et Morin lut les lettres, qu'il tendit ensuite à Colbert. Rapidement, Colbert lut à son tour. Il n'y en avait que cinq.

— C'est tout ? demanda Morin.

— Oui.

Après, ils s'en furent chez *Petit Pigeon*. Là encore, ils furent bredouilles. Quoique la fille, une grassette aux hanches larges, leur avoua franchement sa colère.

— Je puis vous montrer ses lettres, dit-elle. Des lettres enflammées, passionnées... J'étais en droit de croire qu'il m'épouserait, après tout ce qu'il me disait.

C'était au contraire des lettres envoyées aux autres filles. *Petit Pigeon*, vraiment, était blessée profondément que Maurice Hugeon l'ait mise de côté. Colbert fit un signe à Morin et ils sortirent.

— C'est elle, dit Morin. Reste à prouver ses allées et venues hier soir, et nous la tenons. Elle a un mobile, elle est déterminée, musclée, elle n'a pas froid aux yeux.

— Non, ce n'est pas elle, dit Colbert.

— Ah ! tiens ?

— Excusez-moi, lieutenant, mais je crois que je ne me trompe pas. Retournons chez l'autre.

— Celle d'où nous venons ?

— Oui.

— C'est elle ?

— Oui.

— Fais-moi une preuve, dis un peu !

Colbert sourit.

— J'ai le début d'une preuve. J'ai aussi des conjectures. Jouez le jeu avec moi, et si j'ai raison, nous gagnons sur toute la ligne.

La fille les reçut avec sa même grâce un peu hautaine.

— Mademoiselle, dit Colbert brusquement, nous sommes très pressés tous les deux. Allez vite en haut, à votre chambre, je veux voir le coffret bleu dans lequel vous conserviez vos lettres.

La fille se tourna pour crier à la bonne, mais Colbert l'interrompit.

— Pas de bonne, c'est trop pressé. Vous. Courez en haut, vite, c'est urgent.

La fille raidit. Alors Colbert eut un geste rapide. Il tira son revolver du gousset, le braqua sur la fille et cria d'une voix terrible :

— Allez-vous vous dépêcher, oui ou non ?

La fille exsangue, les lèvres bleuies, le regardait avec des yeux épouvantés. Elle respirait très fort. Avec un soupir, Colbert remit son arme dans sa poche.

— Les eaux mortes, dit-il à Morin. Mademoiselle est allée chez Maurice Hugeon hier soir. Une visite en apparence sans acrimonie. Elle a feint d'être malade. Maurice Hugeon, connaissant son état, a couru à la pharmacie acheter des pilules de nitroglycérine. C'est ce que voulait mademoiselle. Restée seule, elle a lu les lettres reçues par Maurice Hugeon. De toutes celles-là, elle a pris les lettres de *Petit Pigeon*, qui devaient être aussi enflammées que les lettres écrites par Hugeon. La colère de *Petit Pigeon* s'explique ainsi, vous voyez ? Quand Maurice Hugeon est revenu, notre amie ici possédait la preuve d'une infidélité de la part de celui qui l'avait courtisée à distance. Elle l'a tué.

La fille chancelait. Ses yeux étaient vitreux.

— Mais la lettre de *Petit Pigeon* dans la poche de Hugeon ?

— La dernière reçue, Hugeon la gardait là pour un temps. Notre coupable n'a pas fouillé les poches, seulement le tiroir dans la chambre. Je suis sûr qu'en fouillant la maison ici, nous allons trouver le revolver qui a tué Hugeon et les lettres de *Petit Pigeon*.

La fille s'abattit sur le tapis. Morin se pencha, prit le pouls.

— En voilà une, dit-il, qui va éviter du travail au bourreau.

— Morte ?

— Oui.

Dans la chambre de la fille, Morin trouva en effet le revolver et les lettres de *Petit Pigeon*. Il trouva aussi des pilules de nitroglycérine, et une lettre de Maurice Hugeon, que la fille ne leur avait pas montrée, dans laquelle il fixait même une date pour le mariage. Une lettre subséquente retirait cet engagement.

— Vous voyez, dit Colbert, il s'agissait d'y penser.

Morin n'était pas jaloux. Il aimait bien que son subalterne fasse preuve d'initiative.

— Comment as-tu deviné ? demanda-t-il.

— Quand nous sommes venus la première fois, elle a commencé à monter l'escalier, puis elle s'est ravisée et a envoyé la bonne. L'une des premières choses défendues à un cardiaque, n'est-ce pas de monter les escaliers ?

L'ÉCLATEMENT DE BIBIANE

On n'a pas idée de s'appeler Bibiane, aussi. Et par-dessus le marché, comme eût dit Voltaire qui avait de ces figures de style, d'embêter les gens au point de provoquer, par la vertu d'un simple éclatement, la plus grande enquête policière... Je vais trop vite, *adagio,* soyons calme. Le bon peuple a tout de même besoin que ça lui soit servi à la cuillère.

Comme journaliste, je promène d'une main mon appareil photographique, et de l'autre, mon talent. (Ce n'est pas bien dit ? Si tous les journalistes savaient écrire, ils travailleraient à *La Presse.* Vous vous rendez compte du problème ?) Donc, je disais que je suis à l'affût. Je le disais d'une façon littéraire, mais vous avez compris.

Et je reviens à Bibiane, au cadavre de Mapoletto et à l'idée saugrenue qu'eut le sergent Vaillant de questionner la veuve de Mapoletto.

Bibiane, chère et jolie blonde, n'a eu là-dedans qu'un rôle de déclenchement. Elle roulait, innocente et magnifique, sur la route n° 9, dans sa petite et brave Dauphine qui abattait les milles comme s'ils eussent été des kilomètres. Mais même les meilleurs petits coursiers ont parfois mal aux pattes sans que cela les rende indésirables. La Dauphine eut un éclatement. Un, avec une politesse toute française, remarquez, un souci de bonnes manières tout parisien. Pouf ! Puis une petite valse genre java, trois temps et un bel arrêt habilement consommé par Bibiane.

Moi, je venais derrière. Le monde est petit, remarquez. Le gars derrière eût pu être un vendeur de chaussures ou un notaire revenant d'un congrès. Le hasard voulut que ce fût un journaliste, et galant par surcroît. Donc, j'ai freiné, j'ai stoppé, je me suis précipité au secours de Bibiane. Au secours de Bibiane, vous savez bien, et moi je n'y avais pas tellement songé, c'était le cric et le changement de pneu. Mes mains à moi, salies ; mes muscles à moi, rompus ; ma sueur à moi, coulant à flot. Tandis que Bibiane regardait faire son chevalier servant. Mais nous avions de la conversation et c'en était presque au point d'un petit dîner fin pour le soir même, lorsque Bibiane, dans un geste de femme, imprévisible et basé sur un souci de démontrer l'élégance de sa démarche et la beauté de son profil au soleil, Bibiane, donc, s'éloigna de dix pas tout en me parlant et cueillit des fleurs sauvages qui croissaient en bordure de la route. Il y avait aussi, en bordure de cette route, un fossé.

Et là, dans le fossé, il y avait le cadavre de Mapoletto, proprement assassiné. Alors Bibiane a poussé un cri horrible. Moi, je suis accouru, et l'appareil de la justice fut mis en branle. J'en passe, parce que l'important, c'est encore ce que Vaillant fit et non ce que Bibiane consentit. Je veux dire, cher public, que bien sûr Bibiane dîna avec moi ce soir-là, mais l'histoire, la vraie et véritable, c'est que Mapoletto... mais j'anticipe encore. Allez... j'ai l'habitude des reportages froids et secs, et me voici en plein drame... Comment pourrais-je dire, au sujet de Mapoletto ?

Le sergent Vaillant, qui avait l'œil sur la pègre, reconnut Mapoletto. Petit bandit de dix cents, petit filou, petite crapule. Un gars dans la quarantaine, mince et menu, le visage sec comme un pruneau, les mains agiles. L'air d'un véritable rat tel que créé et popularisé par Hollywood.

Généralement, ces crimes ne sont pas trop embêtants. La police sait bien qu'il s'agit de règlement de comptes. Les journalistes — les gars comme moi, vous savez — n'ignorent pas qui a tué l'individu, et la meilleure politique est celle du glissement.

Vous ne savez pas ce que c'est, « le glissement » ? C'est simple. Après trois jours d'enquête pas trop éreintante, la police glisse le dossier dans le dernier tiroir, et le journaliste glisse ses notes dans le panier à papier. Après, on va boire une bière à la taverne, tous ensemble, et on discute de football, de hockey ou de négociation du nouveau contrat syndical, suivant la saison. Et ainsi s'écrit l'histoire, avec tous les Mapoletto au sixième plan.

Mais dans le cas présent, il ne fallait pas oublier Bibiane et sa Dauphine agile, et l'intérêt qu'elle portait à ce cadavre plus ou moins appétissant gisant dans le fossé.

C'est Bibiane qui se mit après Vaillant. Et Vaillant céda. Pas plus fin, le frère. Pas plus vite sur ses patins, il aurait dû raconter des histoires à Bibiane. (La vraie vérité, c'est un peu ma faute. En dînant finement avec Bibiane ce certain soir, après le vin de bon cru, et le petit cognac « pour faire passer ça », je crois que je me suis senti un peu trop fier de ma profession et j'ai raconté un tas de choses à Bibiane. Bref, j'ai fait le Jos-Connaissant. J'ai fait le gars qui sait tout, qui cligne de l'œil d'un air entendu. Ma parole, je crois qu'à la fin, toute la pègre du Canada attendait mes conseils pour savoir qui tuer, quelle politique adopter, et *tutti quanti*. Naturellement, Bibiane s'est crue bien renseignée, et elle a pris ce ton « professionnel », ce ton dogmatique pour enquiquiner Vaillant au téléphone. Et un jour, elle est allée le voir...)

La douce Bibiane, qui était blonde, avait à son avantage d'être le prototype de la belle fille. Le *working model*, comme disent les Américains. Elle avait passé tous les tests et elle pouvait être exposée au public. Pas un pli, pas un défaut, pas une faille. « Du beau butin de criature », comme eût dit mon grand-oncle Bénoni, de regrettée mémoire.

Donc, Vaillant succomba aux charmes de Bibiane. Elle lui offrit même une randonnée dans la Dauphine et, du coup, il fut converti aux petites voitures. Il titubait, le pauvre ; il était comme drogué par la drogue magique. La fille, il l'avait reçue, pan ! dans le cœur.

Il alla donc questionner la veuve Mapoletto, qui ne demandait pas mieux que dénoncer toute la mafia de Montréal, y compris les plus hauts dons, les capi de grande classe. Et Vaillant, loyal à son serment, eut donc en main, prouvés par des documents écrits, les délits de la bande maîtresse.

Tony, Rico, les deux Frères, le criminel d'habitude Pietro, Ti-Charles, Ti-Noir, Bearcat, le Mauvais, Pat, et Rodolphe ! La confrérie au complet...

Mapeletto avait été tué parce qu'il retenait cachées deux livres d'héroïne, une valeur marchande d'un million de dollars. Il faisait la mule, quoi, et il s'est fait lester de deux livres de plomb. À la manière ancienne de deux chargeurs en plein corps.

Et vous croyez que c'est fini ? Dieu du ciel, protégez les simples d'esprit ! La Gendarmerie royale, la police de Montréal, la Sûreté du Québec, le F.B.I. américain, les agents antinarcotiques de Washington, l'Interpol, la police française, Scotland Yard... tout le monde y a été mêlé. Vous avez vu, dans les journaux ! C'était l'orgie du crime. On démasquait l'organisation au complet. Tout s'écroulait. Maisons de jeu, prostitution, coercition des unions ouvrières, trafic de la drogue, contrebande des diamants... En deux temps, trois mouvements, à cause de l'éclatement d'un pneu de la Dauphine de Bibiane, un empire croulait, entraînant à sa suite la fine fleur de la pègre du Canada et des États-Unis. C'était, vraiment, un jour faste dans les annales policières du monde entier.

Mais moi, je me trouvais moins faste. Moi, j'entendais sonner le glas. Parce que, dans mon journal, mon boulot à moi, c'était justement parce qu'existait cet empire que je pouvais l'exercer. Les magnats déchus, au bout de deux mois, c'est de la mauvaise copie, comme on dit dans le métier en employant un effroyable anglicisme.

Il ne me resterait que les gars chauds, les rixes à deux dans les tavernes, les infractions aux règlements de la circulation et les pickpockets... Maigre, sans jus, sans viande, le carême et l'aridité.

Ma colère, je l'ai passée sur Bibiane, tout juste. Je n'avais pas vraiment le choix, allez. Au troisième jour, j'ai invité Bibiane à dîner encore une fois. Les mêmes vins fins et la poularde truffée. Mais cette fois, j'étais résolu, j'avais le menton en avant et l'œil mauvais. Elle le vit bien... (Douceur des lumières tamisées, garçons discrets et empressés, le cristal scintille et, dans les verres, le vin au chatoiement de rubis repose tel un nectar divin... Musique, étoile, nuit de rêve...)

— Mais qu'est-ce que vous avez ce soir ? demanda Bibiane.

Il fallait que je le dise. Longuement et de solide argumentation.

— J'ai, dis-je, ceci...

En long, en large, sans rien omettre et en soulignant bien tous les aspects déplorables de l'affaire, j'ai

121

expliqué à la belle blonde le mal qu'elle avait commis, tout en croyant faire le bien. Comment, d'un geste irréfléchi, elle avait forcé Vaillant à mener une enquête qui était à détruire l'une des plus belles réalisations de notre belle Amérique. Sauf les hot dogs et Maurice Richard, dis-je à Bibiane, que nous reste-t-il d'excitant à offrir aux Européens de passage ? Pas le plus petit gangster, par votre faute. Pas la moindre fusillade, par votre faute. Rien, de rien, de rien. Toronto d'un océan à l'autre et sept jours par semaine. Et puis, tous les criminels ayant été emprisonnés, le corps de police deviendra beaucoup trop considérable.

— Vous voulez rire ! me lança Bibiane avec le meilleur accent C.B.F.T.

— Pas du tout. La moitié des policiers sera congédiée. Et ce sera par votre faute que des femmes, peut-être jeunes encore, habituées aux gros salaires de leur mari constable, et des enfants, fiers du pistolet et des boutons dorés de leur père, souffriront de faim et de froid cet hiver. Et l'été prochain, qui sait si ce ne sera pas le début d'un exode de Montréal...

Elle me regardait, les yeux grands comme des soucoupes.

— Montréal, ville morte, comme Cobalt et Val-Jalbert. Les maisons vides, les rues désertes. L'aqueduc pompant le tiers seulement de l'eau d'habitude. Le fleuve baissant de trois pouces par seule perte des égoûts. Des autobus se traînant, désolés et malheureux, vides, vidés, leur chauffeur devenu fou de n'avoir plus sa tâche quotidienne, d'empiler les gens dans son véhicule. Les pompiers réduits à allumer des feux pour empêcher que ne rouillent les pompes...

— Tout cela à cause de moi ? gémit Bibiane. Quelle horreur !

Elle était un peu grise. Horrifiée par mes déclarations, elle buvait verre sur verre et mangeait à peine.

— Che... fais... *Hic* !... Pardon... Je vais de ce pas rectifier la situation, dit-elle.

Et elle sortit, trop droite, trop raide, manqua une marche, rattrapa l'autre, et comme les garçons me forçaient à payer la note avant que de la poursuivre, elle disparut sans que je sache où elle était allée.

Le lendemain, je le sus.

Je le sus alors, je le sais encore aujourd'hui et je le saurai longtemps.

Elle était allée au journal, voir le rédacteur en chef qui ignorait tout du rôle qu'avait joué Bibiane dans cette affaire. Quand il apprit ce qu'elle avait fait, savez-vous ce qui arriva ? Le rédacteur, digne émule des Hearst et gens de cet acabit, confia à Bibiane le soin de « couvrir » la débandade de la pègre nord-américaine. Et moi, il me congédia...

Et donc, c'est pour donner à manger à mes six enfants tous du même âge que j'écris ce récit pour *La Patrie*.

Et je jure ici solennellement que si jamais la Dauphine de Bibiane a un autre éclatement et si je suis derrière, moi, ce n'est pas Mapoletto que l'on trouvera dans le fossé, mais la jolie blonde. Que Vaillant fasse l'enquête ensuite, je paierai ma dette à la société bravement !

Au cas où il vous plairait de m'aider un peu à faire vivre ma pauvre famille, je suis facile à trouver. Je me tiens habituellement à la taverne Labonde, pas loin de la rue Saint-Denis, deuxième table à gauche en entrant. J'ai un veston brun et les cheveux longs. Pas de cravate.

VIDELIA

Comme disait le sergent Leclerc au lieutenant Morin :

— Qu'est-ce que cette histoire ?

Et il avait bien raison de s'en étonner. Pour préciser, plus l'enquête avançait, plus l'affaire devenait fantastique. (Voyez les journaux du temps : les manchettes s'étalaient à la une dans tous les quotidiens de la province...)

Morin en acquit des cheveux gris aux tempes. Non qu'il s'agît là de quelque sanglante affaire de meurtre. Au contraire, tout était si discret, les crimes accomplis avec tant de... gentillesse, si l'on peut dire. Les crimes ?...

Six crimes. Six meurtres. Six morts sans phrases. Six magnifiques jeunes filles, parmi les plus belles de Montréal, bêtement tuées. Et il fallut à Leclerc et Morin six semaines pour en arriver à une conclusion. Comme coïncidence, on n'aurait jamais trouvé mieux.

Le premier crime sembla une affaire assez banale. D'abord l'on crut à un suicide. Le cadavre de Mona Gray, prix de beauté, vingt-trois ans, avait été trouvé dans le port, flottant sur l'eau. En fait, rien n'indiquait un meurtre. Ni Leclerc ni Morin n'étaient arrivés à trouver des causes à ce suicide. L'existence de Mona Gray était ordonnée, agréable. La jeune fille gagnait fort bien sa vie et elle était populaire. Une vie heureuse, quoi, et aucun indice de drame sentimental ou autre. Morin était prêt à classer l'affaire. Suicide pour causes inconnues.

Il devint songeur et intrigué quand, la semaine suivante, une autre fille fut trouvée presque au même endroit, noyée elle aussi, jolie tout comme la première, et sans raison de se tuer. Parce que, tout de même, on ne se jette pas à l'eau pour le plaisir de la natation sportive quand il s'agit de l'eau huileuse du port et que c'est la fin de novembre.

À la troisième jeune fille noyée, trouvée la troisième semaine, l'affaire déclencha. Cette fois, les journaux entrèrent dans la danse.

— Lieutenant Morin, dit Leclerc, avons-nous, ensemble, l'embryon d'une idée ?

Mais que dire, que faire, que penser ? L'on s'imagine mal, à moins que d'être initié à ces choses, la somme de travail que peut accomplir un corps de police lorsqu'un crime semble insoluble. Non seulement Morin et Leclerc y mirent leur meilleur, mais aussi une trentaine de policiers de tous les grades. Il n'y eut de renseignement jugé trop insignifiant. Des centaines de personnes furent questionnées. Des milliers d'indices furent étudiés. L'on détricota complètement la vie privée et publique de chacune des trois filles. L'on vit, pesa et jugea chacun de leurs amis et jusqu'à leurs connaissances les plus passagères.

Mais l'on manquait de la chose essentielle, c'est-à-dire de témoins ayant aperçu, fût-ce de très loin, la dernière personne en compagnie des trois victimes. Dans chaque cas, la trace se perdait la veille de chaque crime. À partir de ce moment, aucune des allées et venues des trois filles, aucun de leurs gestes ne pouvait être retracé.

À la quatrième victime, la ville entière semblait en révolution. Les journaux affichaient les grandes manchettes, la radio et la télévision ne parlaient que des crimes mystérieux. Une surveillance étroite du port fut entreprise. Le cinquième crime eut lieu quand même, la cinquième semaine, mais cette fois dans la rivière des Prairies. La cinquième victime flottait à la dérive en face du parc Belmont. Une surveillance fut établie sur la rivière des Prairies... Puis, le sixième crime eut lieu. Personne ne surveillait le canal Lachine. C'est là que fut trouvé le sixième cadavre. Et encore une fois, comme dans tous les autres cas, une jolie fille, prix de beauté, jeune, active, ayant une vie heureuse.

Seulement, cette fois, un indice. Dans l'appartement de la jeune fille, un cahier où la belle enfant rédigeait chaque jour son journal. Ce n'était ni le journal de Julien Green, ni celui de Paul Léautaud, encore moins celui d'André Gide. De fait, la plupart des inscriptions ne pouvaient être comprises que des initiés. Des noms, des dates, ici et là un mot. L'inscription suivante, par exemple, que Morin lut et à laquelle il ne s'arrêta pas tout d'abord :

« V. prétend que je devrais changer la couleur de mes cheveux. Vu M. six heures. Rendez-vous demain. »

Note d'une fille un peu vaniteuse. Initiales ne signifiant rien. Puis, plus loin :

« Revu Videlia. Mais qu'est-ce qu'elle a ? 6/6/58 Serait-ce possible ? Une jambe seulement ? »

De page en page des annotations, des numéros de téléphone, des réactions succinctes. Mais toujours rien. Sauf une, qui électrisa Morin.

— Regarde, dit-il à Leclerc. Regarde ce qu'elle a écrit ici.

Depuis deux heures, ils lisaient l'épais cahier, tentant de déchiffrer chacune des entrées.

« Une excursion avec Videlia, c'est toujours de l'imprévu. Il n'y a qu'elle pour songer à de tels endroits. Le port, où ont été assassinées les filles, la rive du lac Saint-Louis, le bord du canal Lachine, la montagne la nuit. Drôle de fille... Je l'ai touchée à la cuisse, je jurerais que c'est du métal... Non, ce n'est pas possible, je ne peux y croire. Elle marche normalement... »

Morin referma le livre.

— C'est bête, dit-il, mais j'ai une intuition.

— Videlia ?

— Disons.

— Qui est-elle ?

Ils fouillèrent tous les interrogatoires. Ils repassèrent la liste de tous ceux qui avaient pu connaître la dernière victime et se nommer Videlia. Mais ce qui les décida à agir, et promptement, ce fut quand Morin, par hasard, ouvrit le dossier de la quatrième victime et vit que, dans la liste des objets trouvés dans son sac à main, il y avait une minaudière où était gravé : « De Videlia, en sincère amitié ».

Du coup, l'appareil policier fut mis en marche. Il fallait trouver, dans la ville, une fille — ou une femme — qui se nommait Videlia.

Il en fut trouvé trois. L'une d'entre elles ne parlait pas un mot de français. C'était une Italienne d'environ cinquante ans, ne sortant jamais, occupée à élever une famille de douze enfants. Il était impensable que cette brave femme, pauvre et brisée par la demi-misère, ait pu donner en cadeau une minaudière de prix, gravée à son nom.

La deuxième Videlia pouvait bien être élue, sauf qu'elle arrivait d'un voyage de six mois aux Indes, que c'était un fait prouvé et qu'elle était encore à Bombay au moment des cinq premiers meurtres. Quant au sixième, il avait été commis pendant son envolée de Karachi à Vancouver.

— Meurtres ? dit Leclerc. Nous n'en avons pas encore la preuve...

Mais Morin ne démordait pas.

— Quand on me démontrera par quelle terrible coïncidence six jolies filles, heureuses de vivre, adulées, choyées, aucunement privées, vont se suicider, l'une après l'autre, à raison d'un suicide par semaine, je croirai qu'il ne s'agit pas de meurtres. Pour l'instant, c'est concerté, c'est précis. Une fille par semaine. Il y en a eu six. Elles ont été trouvées le vendredi. Nous sommes aujourd'hui mardi. Je ne veux pas qu'il y en ait une septième... Voyons cette troisième Videlia.

Je ne sais à quoi s'attendaient les deux policiers, mais la beauté de cette troisième Videlia les surprit grandement. Elle était sûrement aussi belle, sinon plus encore, que les six victimes. Très grande, d'une élégance sobre, vêtue avec raffinement. Elle habitait un appartement chic au centre de la ville.

Non, elle n'avait pas quitté Montréal dernièrement.

Non, elle n'ignorait pas les six meurtres. En fait, elle en suivait assidûment les relations dans les journaux.

Non, elle ne connaissait pas les victimes.

L'entrevue fut courte. Quand Videlia voulut savoir pourquoi on la questionnait, elle, Morin dut trouver une excuse.

— Je sais que je vous importune, dit-il, mais nous ne pouvons négliger aucun indice. Le barman du *650*, le bar chic de la rue Stanley, vous a vue avec Céline Arnaud, la dernière victime. Tout à fait par hasard, il vous a revue le lendemain, entrant ici. Et le concierge nous a dit que vous étiez la seule personne répondant à la description que faisait le barman.

Videlia le regardait d'un air impassible.

— Votre barman se trompe sûrement. Je ne connais pas cette fille. D'ailleurs, j'ai très peu d'amis et ce sont tous des hommes.

Cela, Leclerc était bien prêt à admettre que ce fût logique. Que dire de plus ?

Morin semblait soucieux. Il se leva, traversa l'appartement aux meubles exquis, sis au douzième étage d'un édifice de luxe. De la fenêtre, il commandait une vue de la ville. Un moment, il resta là, immobile, silencieux.

Debout au centre de la pièce, Videlia attendait. Au bout d'un temps, elle eut un geste impatient.

— Je veux bien, dit-elle, coopérer avec la police. Mais je ne sais pas du tout pourquoi vous venez ici et je n'entends pas perdre plus de temps avec cette affaire.

C'était dit d'un ton hautain, sans réplique.

Leclerc grimaça. Il savait bien que les preuves contre Videlia étaient des plus minces. L'histoire du barman était fausse et, d'ailleurs, Videlia ne l'avait sûrement pas crue, cela se voyait à son seul air assuré. Que faisait donc Morin, perdu dans ses réflexions ?

Soudain, le lieutenant vira sur ses talons. Il semblait s'être décidé tout à coup. Il marcha à grands pas vers Videlia. La fille, surprise, recula d'un pas pour le laisser passer, mais Morin obliqua aussitôt sur elle. Videlia recula encore une fois, sembla soudain perdre l'équilibre et tomba tout d'une pièce sur le divan. Immédiatement, le lieutenant Morin, avec une exclamation sourde, se précipita vers elle et de sa main il lui tâta le mollet, le genou...

La fille criait. Leclerc, cloué sur place, n'arrivait pas à bouger que Morin s'était déjà redressé, arborant un sourire satisfait.

— Voilà, dit-il, c'est fait.

Videlia se relevait, blanche comme une morte.

— Que signifie cette histoire ? dit-elle.

Mais elle avait perdu beaucoup de son assurance. Elle semblait peu solide sur ses jambes.

Morin était allé s'asseoir dans un fauteuil. Il fit signe à Videlia, puis au sergent Leclerc.

— Asseyez-vous tous les deux, dit-il. J'ai une petite histoire à vous raconter. Dès que les six crimes qui nous intéressent ont pris une certaine tournure, qu'ils se sont révélés l'œuvre d'un maniaque, j'ai songé que les causes profondes pouvaient bien être la jalousie. Mais il y a toutes sortes de jalousies. Je ne vous ferai pas un exposé psychologique. Vous savez tous les deux ce que je veux dire. Le plus troublant, c'est que, dans la vie privée des six victimes, il ne semblait y avoir aucune idylle propre à susciter de telles jalousies. Rien, en tout cas, qui les reliât l'une à l'autre. Restait donc un même courant de force, l'œuvre d'une seule et même personne agissant pour des mobiles sûrement très secrets et subtils. Dans le journal personnel de la dernière victime, il y avait des entrées qui nous donnèrent la première piste.

En entendant parler de ce journal personnel, Videlia s'était raidie et ses mains jointes ensemble se serrèrent convulsivement. Son regard ardent fixait le lieutenant Morin. Elle était vraiment belle ainsi, d'une beauté qui dépassait vastement celle, courante, des filles jolies. C'était une sorte d'auréole qui l'entourait, un classicisme des traits, l'équilibre admirable d'un visage, d'un corps, d'un maintien où rien ne clochait.

— Videlia, dit Morin, disons que j'ai percé votre secret.

Il pointa le doigt vers la jambe gauche de la fille.

— Cela, dit-il.

Videlia semblait de glace. Ses lèvres étaient serrées et il y avait de la panique dans son regard.

Morin tira de sa poche le calepin noir où Céline Arnaud avait consigné son journal quotidien.

— Je lis, dit-il. Écoutez bien : « Drôle de fille... Je l'ai touchée à la cuisse, je jurerais que c'est du métal... »

Morin referma le livre, soupira.

— Il y avait une fois, dit-il, une jeune fille très belle. Plus belle que toute autre. Un accident survint où elle dut se faire amputer d'une jambe. De ce jour, elle conçut une haine jalouse, le dessein de détruire toute fille belle qui serait normale. Et ainsi en vint-elle à assassiner six filles. Il y en aurait probablement eu une septième et d'autres encore. D'autres encore, car cette fille infirme était d'une rare intelligence, d'une tranquille audace, d'une astuce peu commune. Elle était sûre de savoir commettre chaque fois le crime parfait. Seulement, elle a compté sans la loi de la moyenne. Le journal de Céline Arnaud... Qui aurait cru ? La loi de la moyenne, le pourcentage d'erreurs inévitables. Comme quoi il n'y a pas de crime parfait.

Il se leva.

— Inutile de nier, Videlia. Ce que je possède en ce moment n'est peut-être pas suffisant pour vous faire condamner devant un jury. Mais d'ici le procès, j'aurai amplement le temps de mettre mes hommes au travail. Et puisque maintenant nous savons où nous diriger, vous devez bien penser qu'il sera facile de vous associer à chacune des victimes, et les circonstances contre vous seront écrasantes. Venez.

Videlia se leva tranquillement. C'était vrai qu'elle marchait normalement, que jamais l'on n'eût deviné la jambe artificielle. Mais Morin, qui y avait touché, ne se trompait point. C'est quand Videlia se jeta en courant vers la fenêtre au fond du salon que la jambe de métal n'obéit point comme elle l'eût voulu. Et c'est en boitant horriblement qu'elle put atteindre la fenêtre.

Leclerc qui avait deviné le drame se précipitait, mais Morin le retint.

— Laisse.

— Quoi ?

Déjà Videlia avait ouvert la fenêtre, déjà elle l'enjambait, et ils n'entendirent plus que son long cri d'horreur se répercutant alors qu'elle tombait des douze étages vers le béton des trottoirs...

Morin, le visage exsangue, se tourna vers Leclerc.

— Tu aurais voulu qu'on pende une belle fille comme ça, la corde au cou ?

Il rattacha son paletot.

— Elle a choisi le meilleur sort, probablement.

PRÉCISÉMENT

Tout écrivain apprend bien vite que les mots ont une valeur absolue. Il n'existe pas vraiment de synonyme. Deux mots qui prétendent vouloir dire la même chose ne font en somme qu'exprimer des nuances de cette même chose. Ainsi flux et marée, jour et journée, clair et éclairé...

Cette valeur des mots s'apparente à la valeur des gestes et à l'absolu des formules mathématiques. Si je dis qu'une chose est précisément celle-là, voilà qui est direct, complet, absolu, irréfutable. Précisément... Or, Johanne Hudon fut tuée précisément à huit heures. Le fait était prouvé, on ne pouvait s'en écarter d'une seule seconde.

Dans le laboratoire où elle travaillait, une horloge électronique astrale s'était arrêtée exactement, précisément, à huit heures du soir, alors que la balle qui tua Johanne vint aussi stopper l'horloge.

Cinq témoins dans les pièces voisines entendirent le coup de feu et, sur les cinq, quatre pouvaient jurer aussi qu'il était huit heures, tant pour avoir consulté leur montre machinalement que pour avoir vérifié — tout aussi machinalement — sur le mur où une horloge sonnait.

Et c'est en partant de ces faits que le détective Bruand changea le cours d'une enquête et fit d'un supposé coupable un innocent et du dernier des suspects le vrai coupable.

Récapitulons.

Il s'agit du laboratoire de la World Federation of Applied Research, une machine internationale, complexe, fortement subventionnée, qui coopère et participe aux recherches appliquées dans le domaine de la fission nucléaire civile, du cancer et des virus filtrants.

L'édifice est imposant. Il accueille un personnel nombreux. De fort grands noms de la science y besognent à longueur de journée. Pour seconder ces savants dans la multitude des laboratoires, des aides. Johanne Hudon possédait un diplôme en physique nucléaire d'une université française, et collaborait à titre d'aide technique aux travaux de Ingemar Oskeman, le Danois, et à ceux de Giancarlo Ozzi, l'Italien, tous deux travaillant en étroite collaboration pour découvrir la véritable identité des troisièmes neutrons découverts en 1957 par les savants de Caltech, aux États-Unis.

Johanne coulait une idylle avec le savant italien. Jeune, jolie, sérieuse, extrêmement intelligente, elle avait su plaire à cet homme distrait, préoccupé, peu enclin aux douceurs de la vie. Leur amour s'était amplifié, il avait grandi et, dans toute l'institution, l'on respectait un roman si beau, unissant deux êtres idéalement faits l'un pour l'autre.

Tout cela, le détective Bruand put l'établir en moins d'une heure.

Le crime lui-même, sans mobile apparent, avait été commis alors que le savant danois et le savant italien étaient absents du laboratoire. Johanne Hudon y était seule, revenue après le dîner pour compléter des notes devant servir aux expériences du lendemain, jugées fort importantes. Les notes étaient là, intouchées.

Le directeur de la W.F.A.R., Lloyd Lebuis, avait

été celui qui avait le plus complètement renseigné Bruand.

— La procédure normale, dit le détective, lorsque quelqu'un a été assassiné, c'est de découvrir pourquoi le crime a été commis, par qui et dans quelles conditions. Excusez-moi si je vous dis ce qui semble simpliste et que vous savez déjà, mais je vous demanderais, monsieur le directeur, de tenter de m'aider à répondre aux trois questions dans le cas de Johanne Hudon.

— Je vous assure de toute ma coopération, monsieur Bruand, dit l'homme. Johanne Hudon était une précieuse collaboratrice. Sa mort est non seulement un choc, mais une grande perte pour nous.

Lloyd Lebuis, un Franco-Américain, était un homme très grand, de belle carrure, camouflant ses cinquante ans sous des allures de joueur de football, cheveux en brosse, le teint hâlé, la démarche élastique et souple. De larges mains épaisses, puissantes.

— Les relations entre Johanne Hudon et le reste du personnel ?

— En général, excellentes.

— En général ? Cela suppose des cas particuliers ?

— Oh ! non... non...

— Vous hésitez... si vous voulez vraiment que justice soit faite, il faut tout me dire. Ne craignez rien, je ne ferai jamais condamner un innocent, ni un homme sur la culpabilité duquel j'entretiendrais le moindre doute.

Le bureau du directeur, où ils étaient assis tous les deux, était éclairé par de grandes baies vitrées descendant jusqu'au parquet et donnant sur les immenses pelouses entourant l'édifice. Là-bas, les autos allaient et venaient sur un boulevard longeant le fleuve Saint-Laurent.

— C'est très vague, ce que je vous dis là, déclara finalement Lloyd Lebuis. Avant qu'un amour se déclare entre Johanne et Giancarlo, un jeune chercheur de la division des virus filtrants, Henri Wagner, courtisait Johanne avec une certaine ardeur.

— Jalousie ?

— Peut-être.

Bruand réfléchit. La roue commençait à tourner. Il suffit parfois d'un point de départ.

Dans une pièce adjacente, insonorisée et discrète, Bruand questionna Henri Wagner. Jeune, mince, nerveux, timide, le regard perdu, les mains moites, bouleversé.

— Je ne peux pas me faire à l'idée qu'elle est morte.

— Vous l'aimiez encore ?

— Mais oui... Je me disais que ce n'était qu'une passade, qu'elle me reviendrait.

— Vous aviez échangé des déclarations, des promesses ?

— Non... Elle était un peu distante avec moi, mais... mais je...

— Vous l'aimiez, vous ?

— Oh ! oui.

— Assez pour la tuer plutôt que de la voir dans les bras d'un autre !

— Oh ! non.

L'homme avait crié presque. Debout, frémissant, il implorait Bruand du regard.

— Cela s'est vu déjà, vous savez, déclara Bruand tranquillement. Où étiez-vous au moment du crime ?

— Dans mon laboratoire.

— Vous saviez que Johanne était revenue travailler ce soir ?

— Oui. Je l'avais vue passer dans le corridor.

— Elle a été tuée à huit heures précisément. Pouvez-vous prouver que vous étiez dans votre laboratoire à ce moment-là ?

— J'étais seul.

— Donc, vous ne pouvez rien prouver ?

— Rien.

— Vous aviez un mobile...

— Vous êtes fou !

— Non. Je vous dis que la jalousie est un mobile fréquent. Et qu'un amoureux peut tuer celle qu'il aime, simplement pour la soustraire à un autre. Et, vous m'excuserez de vous le dire, mais vous êtes le type d'homme capable de faire un coup semblable. Vous êtes nerveux, tourmenté, angoissé...

— Si la femme que vous aimez était morte, vous ne seriez pas tourmenté, vous ?

Henri Wagner eut un geste fou vers le corridor.

— Elle est là, dit-il, déjà froide, couchée par terre, un drap la recouvrant. Vos policiers fouillent partout, l'enjambent, l'examinent. C'est... c'est odieux...

Un sergent en uniforme vint frapper à la porte vitrée. Une fois entré, il fit un signe du menton vers Wagner et Bruand amena le sergent dans le corridor.

— Je garde cet homme à vue, dit-il. C'est une possibilité.

— Comment s'appelle-t-il ? demanda le sergent.

— Pourquoi ?

— Nous avons fouillé partout, comme vous aviez dit. Dans une case, au vestiaire, nous avons trouvé le revolver qui a tué la victime.

— Vous êtes sûr ?

— Les essais balistiques feront la preuve finale. Mais c'est un 45 à balles magnum. Il a été utilisé très récemment.

— Dans quelle case ?

— Celle de Henri Wagner.

Bruand eut un geste vers le jeune chercheur derrière la cloison semi-vitrée.

— C'est lui.

— Tiens, tiens, dit le sergent. Les choses se tassent.

— Peut-être.

— Il y a une chose, cependant. Le crime a été commis avec une balle seulement. Or, deux balles ont été tirées du revolver.

— Ah ! tiens ?

Trente minutes de réflexion. Après avoir mis Wagner sous bonne garde, Bruand s'isola. Il avait besoin de réfléchir. Avec la méthode qui le caractérisait, il envisagea toutes les manières possibles par lesquelles le crime pouvait avoir été commis. Et il restait toujours le même mystère, celui des deux balles.

— Allons dormir, dit-il aux policiers lorsqu'il sortit de sa retraite, une petite salle de repos au sous-sol. J'ai besoin des rapports de laboratoire et d'autopsie. Je veux une surveillance spéciale et de tous les instants sur tous ceux qui travaillent avec la victime.

Le navigateur perdu dans le brouillard peut, s'il le veut, continuer sa route au petit bonheur. Il lui sera plus profitable souvent de jeter l'ancre et d'attendre que la brume se dissipe. Bruand avait choisi le meilleur sort. Il alla dormir et dormit bien. C'était dans sa nature.

Le lendemain midi, l'autopsie était complétée ainsi que les tests de laboratoire et il avait les rapports devant lui.

Johanne Hudon avait été tuée par une balle magnum, calibre 45 à haute vélocité. Cela expliquait les horribles ravages du projectile qui avait littéralement fracassé le côté de la tête de la jeune fille avant que de s'enferrer dans l'horloge électronique.

Le laboratoire assurait que la balle trouvée dans l'horloge et celle qui avait tué Johanne ne faisait qu'une et provenait du revolver déniché dans la case de Wagner.

La brume se dissipait mal.

— Une solution, dit Bruand au sergent. S'il y avait deux balles ?

Les deux hommes étaient assis de chaque côté de la table, dans le bureau de Bruand.

— Mais pourquoi deux balles ?

— Je ne crois pas que Wagner ait tué Johanne Hudon.

— Ah ! tiens ?

— C'est trop facile. Il n'a pas d'alibi, il a un mobile, le revolver est trouvé dans sa case. Serait-il assez bête de garder l'arme à un endroit aussi évident ? Et par quelle curieuse coïncidence faut-il que l'horloge électronique ait été stoppée *précisément* à huit heures ? Sergent, les mots ont leur valeur. *Précisément...* cela signifie qu'à huit heures, ces horloges déclenchent un tintement. Donc, le criminel voulait que l'heure du crime fût établie de façon absolue. Pourquoi ?

— Je ne sais pas.

— Parce que Johanne Hudon a pu être tuée *avant*.

— Personne n'a entendu deux coups.

Bruand chercha parmi les rapports écrits de tous les membres de l'escouade qui avaient questionné les occupants de la bâtisse sur leurs allées et venues. Un à un, il déclina les noms. Sauf Wagner, sauf Johanne Hudon, personne n'était dans la bâtisse de six heures trente à sept heures quinze. Sauf aussi Lebuis, le directeur, qui n'était pas sorti manger.

— Autrement dit, fit Bruand, Johanne Hudon aurait pu être tuée durant cette période où il n'y avait que trois personnes dans la bâtisse, elle, Wagner et Lebuis.

— Donc, cela confirme la culpabilité de Wagner.

— Non... N'importe qui aurait pu entrer en cachette, tuer Johanne.

141

— Mais le coup aurait été entendu ?

Bruand se remit en esprit la disposition des laboratoires. Il fallait aussi tenir compte de la distraction d'un chercheur, qui peut être absorbé dans sa tâche et ne rien entendre de ce qui se passe autour de lui.

— Mais Lebuis, dit le sergent. Il aurait entendu, lui. Son bureau est assez près du laboratoire où Johanne a été tuée.

— Il y a deux solutions possibles, dit Bruand.

— Je n'en vois qu'une, fit le sergent, et à mon avis, nous devrions arrêter immédiatement Wagner. C'est lui le coupable, tout le prouve. Donnez-le-moi pendant une heure et je le fais avouer.

— Non, dit Bruand. Tout est beaucoup trop en place. Je n'aime pas qu'une horloge arrête précisément à huit heures. C'est trop simple. Je n'aime pas les crimes trop simples où tout tombe en place comme un coup d'échec bien réussi.

Le même jour, dans l'après-midi, il fit venir Giancarlo Ozzi, le savant amoureux de Johanne, et Ingemar Oskeman, le savant danois. Il les fit asseoir devant lui et leur tendit les notes de Johanne.

— Je ne sais où je m'en vais, dit Bruand. Je veux que vous me disiez si ces notes sont telles qu'elles doivent être.

Les deux hommes scrutèrent les feuillets. Puis le Danois eut une exclamation.

— Ces notes ne sont pas paginées. Il manque deux feuillets.

— Ah ! tiens ? Pourquoi ?

— Je ne sais pas, dit pensivement Ozzi. Pourquoi, en effet ? Et ce sont des notes importantes. C'est la déduction à tirer de nos expériences.

— Et puis-je savoir ce qu'elle était ?

Oskeman sourit.

— Nous avions réussi, poursuivit Ozzi. Nous en étions au terme. L'expérience d'aujourd'hui aurait établi précisément le chemin, la vitesse, la force et le potentiel d'énergie des troisièmes neutrons.

— Où sont les feuillets, d'après vous ?

— Je ne sais vraiment pas.

Bruand se tourna vers le Danois.

— Et votre avis ?

— Si quelqu'un ne voulait pas que nous puissions prouver nos théories, le meilleur moyen était de dérober les feuillets.

— Pourquoi serait-ce le meilleur moyen ?

— Parce que Johanne notait nos déductions verbales et c'est la seule copie que nous avions. Maintenant, il faudrait recommencer tous les stades de nos expériences.

— Ce serait long ?

— Environ un an.

— Quelle est la portée exacte de votre découverte ?

— Principalement, elle éliminerait deux stades compliqués de la transformation de l'énergie atomique en énergie électrique. Elle donnerait la solution de trois ou quatre énigmes qui font obstacle au développement des propulsions spatiales...

— Pardon ?

— Il viendra sûrement un jour où les véhicules voyageant d'une planète à l'autre dans l'espace utiliseront autre chose que des combustibles à haute température. Si nous pouvions concevoir une pile atomique de petit format, capable de développer une propulsion soit par vapeur, soit par réaction d'un métal à longue décomposition, bien sûr, tous les problèmes spatiaux présents seraient simplifiés. Or, notre découverte était vitale dans ce domaine.

— Et quelqu'un pourrait avoir intérêt à retarder l'échéance ?

— Oui.

— Qui ?

— Oh ! il y a bien des possibilités, dit Oskeman. Nous ne nous arrêtons pas beaucoup à ces choses, mais la logique nous dit qu'une puissance rivale aurait intérêt à le faire. D'autre part, comme nos calculs prouvaient que certains métaux ordinaires, moins coûteux que l'uranium, faisaient tout aussi bien l'affaire, des intérêts financiers étaient en jeu.

— Vous n'avez jamais été attaqué ?

— Non.

— Et vous, monsieur Ozzi ?

— Non plus.

— Menacé ?

— Oh, nous recevons des lettres de menace. La plupart du temps, elles proviennent de fanatiques religieux ou autres. Nous les jetons sans les lire.

— Vous n'en avez aucune ?

— Aucune.

— Dans le personnel du laboratoire, vous ne redoutez personne ?

— Personne.

C'était peu, mais déjà une certaine lumière brillait, fort loin. Restait à bien examiner la source de cette lumière.

Bruand fit amener Wagner à son bureau.

— Vous n'avez entendu qu'un coup de feu, Wagner ?

— Moi ? Je n'en ai entendu aucun.

— Aucun ?

— Mon laboratoire est à l'autre bout de la bâtisse, au détour d'un corridor. Et puis, quand je travaille, je suis absorbé, je n'entends rien. On doit parfois me toucher au bras pour que je sache que quelqu'un est là.

Après, ce fut le tour de Lebuis.

Le chenal se rétrécissait.

Le directeur, parfaitement à l'aise, répondit à des questions sans importance. Principalement, il apprit à Bruand qu'il était resté à nouveau ce soir-là pour compléter un rapport au comité directeur de la W.F.A.R.

— Disiez-vous dans votre rapport que les expériences de Oskeman et Ozzi allaient toucher au succès ?

Lebuis se plissa les yeux.

— Mais non.

— Pourquoi ?

— Parce que c'est de mauvais principe que de parler de choses qui ne sont encore que possibles, sans plus.

Bruand feuilletait un dossier.

— Ces papiers que j'ai ici et que mes hommes ont pris sur votre bureau...

— Sans ma permission, explosa Lebuis. Ce sont des documents ultra-secrets. De quel droit...

— Du droit que nous avons de trouver un coupable. J'ai fait apporter ici les papiers qui étaient sur votre bureau, comme ceux qui ont été trouvés dans le laboratoire où Johanne Hudon a été tuée et ceux du laboratoire où Wagner travaillait.

— Mais dans quel but ?

— Mon cher monsieur, les mobiles trop évidents me déplaisent, les indices trop peu subtils jettent des doutes en moi. Ces papiers sur votre bureau, c'est le rapport dont vous me parlez ?

— Oui.

— J'en ai pris connaissance tôt ce matin, comme j'ai pris connaissance de tous les papiers qui ont été trouvés là où je vous disais. Or, dans ce rapport, vous mentionnez quatre secteurs de recherches où vous estimez que le succès serait possible sous peu. Si vous parliez des possibilités dans ces secteurs, pourquoi me disiez-vous que vous n'auriez pas parlé des possibilités dans le secteur de Oskeman et Ozzi ?

— Mais je...

— La contradiction est flagrante. Et je me demande si, par exemple, vous n'en parlez pas trop parce que vous saviez, au moment d'écrire votre rapport, que ces recherches allaient être interrompues et devraient être recommencées...

— Vous y allez fort ! Ainsi, j'aurais...

— Je n'ai pas fini... Vous êtes ingénieur ?

— Docteur en physique.

— Donc, mathématicien.

— Naturellement.

— La chose qui m'a troublé au départ, c'est cette question d'horloge qui stoppe *précisément* à huit heures. Était-ce pour que tous les occupants de la maison entendant le coup de feu puissent relier l'heure à ce qu'ils entendaient ? Et ainsi vous fournir un alibi ?

— Moi ?

— Oui... Il était facile de ne tirer qu'un coup visant à stopper l'horloge. C'était presque sans risque. Par l'accès privé, le petit corridor de communication, vous pouviez passer du laboratoire à votre pupitre en cinq secondes. Et d'aucun pouvait jurer vous avoir vu là, écrivant...

— Mais c'est odieux, ce dont vous m'accusez...

— Pour tuer Johanne et vous emparer des feuillets importants, il vous fallait un certain temps. Le truc, c'était de tuer Johanne alors qu'elle était seule dans la bâtisse avec vous, ou à peu près. Il vous importait que Wagner fût là. Vous le saviez sourd au travail. En portant les soupçons sur lui, vous étiez d'autant plus protégé. Vous avez tué Johanne. Son corps reposant derrière un cabinet de laboratoire, il y avait peu de risques d'une découverte avant huit heures. Puis, à huit heures, *précisément*, vous êtes venu tirer un autre coup de feu pour arrêter l'horloge, dans la trajectoire voulue.

L'homme, debout, faisait de grands gestes. Il était incapable de parler. Il semblait terrorisé.

— Vous êtes mathématicien. Vous avez calculé précisément — toujours ce mot qui revient — la force qu'aurait une balle après avoir fracassé le crâne de Johanne. La balle a dû retomber sur le parquet. Vous l'avez remise en poche. Puis vous avez rapproché le cadavre de Johanne de l'horloge, afin de justifier qu'une même balle eût pu tuer la fille et fracasser l'horloge. Le tour était joué. Vous étiez au-dessus de tout soupçon. Et comme Wagner était un amoureux éconduit, que le pistolet était trouvé dans sa case, qu'il n'avait pas d'alibi... Quels intérêts servez-vous, Lloyd Lebuis ?

La résistance de l'homme céda d'un coup.

Plus tard, il fut établi qu'il était secrètement à la solde d'une puissance étrangère et qu'il avait réussi à se faire nommer directeur des recherches dans le but précis — ah ! ce mot ! — d'obstruer les travaux de recherche de Ozzi et Oskeman.

— Vois-tu, dit Bruand au sergent, c'est ça, le métier de détective. Il y avait trop de précision dans ce crime. Et de la précision, dans un endroit où tant de gens font métier d'arriver *précisément* à des résultats mathématiques ou physiques, m'intriguait, me troublait. J'ai bien fait de suivre mon instinct.

Le sergent, admiratif, resta bouche bée.

— Comme il est précisément six heures du soir, dit Bruand, je propose que nous allions manger !

LA MORT PEUT SE VENGER

Le lieutenant Joron s'épongea lentement le front et soupira.

Dehors, le soleil allait cuire tout le pays. C'était comme des bras immenses enserrant le monde. De longs tentacules de chaleur qui étranglaient, qui immobilisaient la vie. Un soleil implacable, de la lumière crue, sans ombre. La campagne dormait. Rien ne bougeait dans le vert jauni par la sécheresse. Parfois une auto brisait la solitude, vrombissait le long du boulevard de béton menant de Sorel à Montréal.

Même dans le salon luxueux de cette demeure princière qui avait été surnommée le Château Lescourt, non loin de Contrecœur. Ici, le sommeil était celui de la mort. La mort brutale, une balle en plein front...

La police avait été appelée vers midi. Robert Lescourt était à l'appareil. La voix brisée, apparemment sous le coup d'une émotion terrible.

— Ma femme... quelqu'un a tué ma femme !

Quelqu'un était entré...

Il avait répondu tant bien que mal aux questions du lieutenant Joron, dépêché sur les lieux.

— J'étais à l'étable... Nous gardons un troupeau de bétail de race. Tous les midis, j'inspecte les stalles où sont gardés les jeunes veaux. En revenant, j'ai décidé de passer par cette terrasse, et d'entrer au salon par les

149

portes françaises. J'ai vu ma femme... Ça s'est fait tellement vite, il me semble que c'est un rêve... Il y avait quelqu'un dans le salon. Un homme très grand, vêtu d'un complet sombre...

— Pourriez-vous reconnaître son visage ? demanda Joron qui se tenait près de lui.

— Non... non...

Le cadavre de Cora Lescourt gisait près d'un fauteuil, face contre terre. En sortant à l'arrière de la tête, la balle avait littéralement déchiqueté le crâne.

Il faisait chaud et sombre dans cette immense pièce. Près de l'âtre de pierre, énorme foyer rejoignant le plafond, un chien de chasse dormait, alourdi par la chaleur.

— Ce chien, demanda Joron, il est bon gardien ?

Lescourt releva sur le policier des yeux surpris.

— Mais oui, dit-il, je le suppose.

Joron fit approcher une jeune servante qui se tenait dans la porte, les yeux tournés pour ne point voir l'horreur sur le tapis.

— Le chien, il était bon de garde ?

— Terriblement mauvais, m'sieur. J'vous dis qu'y nous aurait dévorées, nous aut' les filles, si madame l'avait pas toujours fait coucher pis disputé.

— Bon...

Il se tourna vers Lescourt qui restait affalé dans un fauteuil près des portes-fenêtres.

— Ces portes sont munies de moustiquaires, dit-il. Vous n'avez rien entendu de la conversation ?

— Non... une conversation n'aurait pas été... logique, lieutenant. Ce n'est pas tout à fait comme ça... Je marchais sur la terrasse. J'ai vu ma femme assise dans le fauteuil, là...

Il montra une énorme causeuse sous une lampe douce.

— C'est son endroit de prédilection, continua-t-il. J'ai vu aussi cet homme entrer là-bas, par l'alcôve, par cette petite arche qui mène à la salle à manger. Il a poussé une exclamation.

— Quelle sorte d'exclamation ?

— Je ne sais pas... Ça s'est fait si vite...

— Continuez.

— Ma femme s'est retournée, et elle s'est levée très vite pour lui faire face. Il avait une arme à la main. Je ne l'avais pas vue auparavant, mais à cet instant précis, il a visé, tiré... ma femme s'est abattue...

— Sans un cri ?

— Sans un cri.

— Et vous ?

— Moi, je me suis élancé. J'ai dû ouvrir l'une des portes de force, comme vous voyez. Je l'ai presque arrachée. Tous les battants étaient verrouillés. Mais tout cela a pris du temps. Une fois entré, j'ai couru vers l'alcôve...

— L'homme est sorti par la porte où il était entré ?

— Oui.

— Vous ne l'avez pas rejoint ?

— Non.

Joron réfléchit un moment. Deux autres policiers s'affairaient en silence, saupoudrant ici et là, se préparant à prendre des empreintes. L'un d'entre eux mesurait. Il avait sorti d'une sacoche de cuir un appareil photographique de haute précision.

Hors les mouvements discrets des policiers, rien ne bougeait. Robert Lescourt, pourtant très grand, mince, athlétique, semblait tout menu, affaissé qu'il était dans ce fauteuil. Il avait le visage méconnaissable. Joron se souvenait des photos dans les journaux. Le riche Lescourt, jeune et brillant financier. Et sa jolie femme, la blonde Cora. On les disait heureux. Ils n'avaient pas d'enfant et, dans ce château bâti sur les rives du fleuve, ils menaient une vie calme, retirée.

Le lieutenant appela les serviteurs. Ils étaient quatre. Un valet, sorte de nain blond, aux yeux impénétrables ; deux jeunes servantes, plutôt grasses, mais aguichantes ; et une vieille cuisinière qui se mouchait et marmonnait des prières : « C'est-y Dieu possible !... Mon doux Jésus, protégez-nous ! »

À chacun, Joron posa la même question :

— Lorsque vous avez entendu le coup de feu, êtes-vous accouru ici ?

La réponse fut unanimement affirmative.

Les deux jeunes filles étaient à leur chambre, au troisième. Elles avaient mis du temps à descendre. Le premier arrivé avait été le valet, Nicolas. Mais il n'avait rien vu, prétendait-il. La cuisinière avait entendu le coup de feu, mais elle préparait des légumes et avait asséché ses mains avant de se précipiter vers l'avant de la maison. Au valet, Joron demanda :

— Où étiez-vous, à cet instant-là ?

— Dans la bibliothèque de monsieur.

— Qu'est-ce que vous faisiez ?

— Je rangeais des papiers, de la correspondance. Monsieur me confiait ce travail tous les jours.

— Vous lui serviez de secrétaire ?

— Mais non ! protesta Lescourt.

— Un moment, interrompit Joron, je posais la question à votre valet.

— Le courrier est volumineux ici, déclara le domestique. Monsieur en prend connaissance après son déjeuner, le matin. Il annote chaque lettre, et je range en conséquence ce qui va en classeur, ce qui doit rester là pour l'instant, et les lettres qui demandent une réponse immédiate et que je place sur son buvard.

— Où est la bibliothèque ?

— En face du salon, de l'autre côté du corridor.

— Vous êtes accouru tout de suite ?

— Absolument, monsieur.

— Et vous n'avez vu personne ?

Le valet hésita un moment, regarda son maître et dit :

— Personne, monsieur.

Lentement, Joron fit le tour du cadavre encore couché par terre. Il s'arrêta pour examiner la position, leva la tête et regarda le mur arrière de la pièce, puis l'ensemble des trois longues portes étroites qui donnaient sur la terrasse.

Cora Lescourt était tombée à plat ventre, la tête vers les portes, les jambes bien droites, les pieds pointant vers le mur arrière du salon.

Joron marcha vers les portes françaises, les ouvrit.

Il traversa la terrasse, alla contempler la vue donnant sur le fleuve limpide, pas tellement large à cet endroit, et qui révélait toute l'autre rive.

Puis il revint, fixant les yeux sur le fauteuil où Lescourt déclarait avoir vu sa femme paisiblement assise deux heures auparavant.

Joron s'arrêta de nouveau aux portes françaises. La balle avait tué madame Lescourt, puis avait continué sa trajectoire. Joron passa les doigts sur l'orifice pratiqué dans la moustiquaire en métal. Il étouffa une légère exclamation, porta à sa bouche l'index, où perlait une goutte de sang. Il entra de nouveau, ramenant avec lui la porte qu'il avait laissée se rabattre sur le mur extérieur, en sortant. Celle-ci bien refermée, une fois de plus il passa le bout des doigts sur l'orifice, prenant bien garde de ne pas se piquer une autre fois.

Avec un drôle de sourire, il se rendit jusqu'au fauteuil où Lescourt sanglotait nerveusement.

— Lescourt, dit-il, levez-vous.

Le jeune homme obéit, se trouva devant le policier.

Avec un geste las, Joron fit signe à ses hommes.

— Tissu de mensonges, dit-il. Arrêtez Lescourt.

— Vous êtes fou ! cria-t-il. Ma femme a été assassinée. Poursuivez l'assassin, au moins. Ce crime doit être puni !

— Il le sera, dit Joron.

Il fit signe au valet d'approcher.

— Vous avez hésité, dit-il, à me dire si le corridor était vide lorsque vous êtes sorti en trombe de la bibliothèque. Je suis persuadé qu'il était vide. Je suis convaincu que personne ne s'enfuyait là. Et vous avez hésité justement parce que vous saviez incriminer votre maître.

Joron se tourna vers Lescourt, menottes aux mains, solidement retenu par les deux autres policiers.

— Question de détails, Lescourt. D'abord, le meurtrier n'aurait pas eu le temps de s'enfuir entre la venue de votre valet Nicolas et le coup de feu. Autre chose : une balle provenant de ce salon, et traversant la moustiquaire, aurait déchiré le réseau métallique dans une autre direction. Chaque fil aurait pointé vers l'extérieur. Votre femme a été tuée par une balle provenant de la terrasse. Et, autre preuve : elle est tombée face contre terre, la tête vers cette même terrasse. Songez à ça... Toute votre histoire de bandit mystérieux, de sombre assassin qui s'enfuit vers le corridor ne tient pas debout. Venant d'un homme intelligent comme le veut votre réputation, elle me surprend grandement ! Et le chien ? Le bon chien de garde qui ne bouge même pas ?

Le policier fit un geste rapide de la main.

— Emmenez-le, dit-il.

Et, méthodiquement, il se mit à la recherche de

l'arme du crime, que Lescourt n'avait pas sur lui, qui n'était pas sur le parquet, et qu'il lui faudrait trouver pour compléter sa preuve.

* * *

Lescourt confessa son crime à six heures du même jour. Joron avait trouvé le revolver dans un étang non loin de la maison. C'était une arme enregistrée au nom de Lescourt, et le laboratoire la déclara l'arme du crime, en comparant ses balles avec celle, maculée de sang, que l'on avait retrouvée logée dans le mur du salon.

— Je lui ai lancé un bonjour de la terrasse, confessa-t-il. Elle s'est levée pour venir à ma rencontre. Je l'ai tirée en pleine tête. Je ne l'aimais plus, et j'avais une petite amie que j'aimais, à Montréal. Je croyais bien avoir commis le crime parfait.

Joron tailla une trente-troisième coche dans le rebord de son pupitre, et s'en fut tout doucement dormir au frais, dans sa maison d'été de Saint-Eustache.

L'INTRUS

Parfois la poussière était jaune. Une poussière fine, sèche, irritante, qui se glissait sous les vêtements, qui brûlait la peau. Par tous les chemins de la montagne, chaque fois qu'une bête de trait ou un camion la soulevait, l'on voyait le nuage surgir, s'étendre en une longue nappe qu'aucun vent ne dispersait, et retomber ensuite, mollement, sur les buissons, sur les herbes.

Les feuilles des arbres en étaient couvertes et elles paraissaient maintenant grises dans le soleil torride du mois d'août.

Un voile de chaleur pesait sur tout, bloquait la vision, semblait une masse à toucher, à repousser, qui se serait immobilisée sur les montagnes.

Tout dormait, tout avait fui la chaleur. Il n'y avait, pour toute musique d'un jour d'été, que le chant des cigales dans les saules bordant le chemin.

Dans la vallée, en bas, en temps ordinaire, l'on aurait pu voir encore la trace de l'orage subit qui avait déversé des tonnes d'eau le matin même, faisant du ruisseau desséché un torrent dont le cours était disparu presque aussitôt l'ondée finie.

Déjà l'argile était dure, craquelée. En creusant, l'on retrouverait de l'eau près de la surface, mais la seule pesanteur de l'homme ne suffirait pas. Ambroise Leclerc donna un coup de talon sur l'argile. Il en sentit la masse déjà cuite par le soleil.

En grimpant la pente vers la maison de Callibran, Ambroise Leclerc entendit la vache du vieux, qui meuglait tristement, le museau appuyé sur la clôture. Quand il fut près d'elle, Ambroise vit bien, par la grosseur du pis, que le lait n'avait pas été tiré ce matin. « Le vieux n'a pas coutume d'être aussi négligent, songea Ambroise. D'habitude, il ne manque jamais de traire sa vache le matin, au soleil paru. »

Il atteignit la maison de Callibran.

À peine un peu mieux qu'une masure, cette maison au toit bancal, aux murs de planches disjointes, sise en pleine pente, la forêt tout juste derrière et, devant, le chemin sinueux allant du village là-bas, sur l'autre crête, jusqu'au faîte des montagnes où il redescend ensuite vers l'autre vallée, riche celle-là, prospère, de bonne venue, où poussent les arbres fruitiers de dix grands vergers d'exploitation.

Dans la cuisine de Callibran, maintenant la confrontation.

Ambroise croyait y trouver le vieux. Il y trouvait toujours le vieux. C'était entendu. Callibran n'avait jamais besoin de savoir que venait quelqu'un.

Au lieu, un jeune homme, cheveux roux, le visage rousselé, les yeux inquiets, qui se tenait debout, les poings fermés.

— Qui es-tu ? demanda Ambroise.

Il n'était pas de son métier de faire la police. Et pourtant, d'être seulement un habitué, d'appartenir à ce village et à cette région, il lui venait par bouffées des besoins de savoir, un désir de faire respecter toute loi. Surtout celle, d'une vaste importance en pays peu habité, du droit de propriété.

Que faisait cet intrus dans la cuisine de Callibran ?

Un parent en visite ?

On avait signalé le passage d'un étranger sur les chemins. Alors ?

— Qui es-tu ? demanda-t-il de nouveau.

Puis, comme pour compléter la question, il ajouta :

— D'où viens-tu ?

Le jeune homme ne bougea pas. Il était grand et mince, mais il était jeune. Ambroise lui donnait à peine vingt ans. Peut-être moins. Et dans les yeux ce regard des errants, des gens qui voyagent jour après jour. Ce détachement des choses immuables.

— Je m'appelle Ronald Kerwin.

L'inconnu avait hésité avant de répondre.

— Je ne t'ai jamais vu, constata froidement Ambroise.

— Et puis ?

Ambroise eut un rire silencieux qui le secoua un moment.

— Tu crois que ce n'est pas important ? demanda-t-il au jeune homme.

L'intrus ne bougea ni n'exprima une opinion. Il se tenait toujours au même endroit, le visage tendu, tous les muscles bandés et prêts à se détendre d'un saut.

Ambroise se mit les mains aux poches et affecta un air nonchalant.

— Pourquoi es-tu ici ? demanda-t-il. Je venais voir Callibran. Où est-il ?

Ronald Kerwin — si tel était bien son nom — prit une longue et profonde respiration qui lui souleva les épaules. D'une voix morne, il récita :

— Je suis... le nouvel homme engagé. Le vieux m'a embauché hier. Ma pension et un peu de salaire.

— Ah ? fit Ambroise. Il t'a embauché hier... Tiens, tiens...

Une charrette vint dans la pente avec un bruit d'enfer des roues jantées sur les pierres du chemin. Un chien, qui accompagnait probablement l'équipage, se mit à japper à mesure qu'il approchait de la maison de Callibran. Puis, ses défis restant sans réponse, il bondit vers la maison et vint japper, toutes dents sorties, jusqu'à la porte de la cuisine. Puis il retourna aussi vite d'où il était venu.

— Un chien brave, celui-là, fit Ambroise. Un chien très brave. Où est le vieux chien jaune de Callibran ?

Un tressaillement, à peine perceptible, secoua le jeune homme. Il eut un geste vague vers la porte.

— Callibran l'a envoyé à midi. Il lui a dit d'aller se perdre dans le bois. Le chien est parti, il n'est pas encore revenu.

— Tiens, fit de nouveau Ambroise, tiens, tiens ! Le chien est parti et il n'est pas revenu.

— C'est ce que j'ai dit.

Le jeune homme eut un regard par en dessous vers Ambroise. Il se déplaça un peu et, à son tour, se mit les mains aux poches.

— Où est Callibran ? demanda Ambroise de nouveau. Je suis venu pour le voir.

— Il est parti, répondit l'intrus, vers midi. Il a grimpé sur le chemin. Il a dit qu'il partait pour la journée. Il m'a demandé de rester ici et de garder la maison, qu'il aurait du travail pour moi demain...

Ambroise, lentement, se rendit jusqu'au poêle où un feu vif brûlait malgré la chaleur du jour. Sur le devant, un chaudron couvert où bouillait quelque chose. Ambroise souleva le couvercle. De la viande cuisait ainsi, dans l'eau.

Du milieu de la pièce, Ronald Kerwin déclara d'une voix trop peu ferme pour être sincère :

— C'est le vieux qui a mis cette viande à bouillir

160

avant de partir. Il a dit que ce serait pour le souper. Il m'a chargé de surveiller la cuisson, de garder le feu haut dans le poêle.

— Eh ! oui, constata Ambroise. Le chien est parti, le vieux est parti, il y a de la viande qui cuit sur le poêle. Comme la vie est bizarre...

Il revint vers l'intrus, et l'examina de la tête aux pieds. Il secoua la tête d'un air surpris.

— C'est ça, dit-il, c'est ça...

— Qu'est-ce que vous voulez dire ?

— Je dis que c'est ça, et rien de plus... Tu as déchiré ton pantalon ?

Il pointait du doigt vers un large accroc dans la jambe du pantalon de l'intrus. L'on apercevait du sang sur la peau.

— Et tu t'es blessé, conclut-il.

— J'ai sauté une clôture. Du fil barbelé. Je me suis accroché, c'est tout. Pas besoin d'en faire un drame.

Ambroise resta silencieux, et l'intrus aussi. Mais chacun pour ses propres raisons. Ambroise savait que le silence vaut parfois une arme que l'on braque sur quelqu'un. Quant à l'intrus...

— Tu aurais pu entrer ici et tuer Callibran, dit Ambroise soudain. Tuer Callibran, et tuer le chien aussi. Le vieux est probablement mort, quelque part dans cette maison. Je dirais qu'il est là, dans la chambre...

— Vous êtes fou !

— Non... non, je ne suis pas fou. J'ai des raisons de soupçonner. Je vis dans ces parages, je connais les habitudes de tout le monde. Surtout celles du vieux Callibran... Tu dis qu'il t'a engagé pour la besogne ? Tu mens. Le vieux a tout juste le terrain autour de sa maison. Il n'a jamais eu besoin d'un engagé pour ça. C'est ton premier mensonge stupide. Le deuxième, c'est que son chien était aveugle et n'aurait jamais quitté la maison. De plus, c'est un chien vicieux, terriblement hargneux. S'il était encore vivant, tu crois que l'autre chien aurait pu venir gambader en jappant jusqu'à la porte de la cuisine ? Callibran n'est pas parti vers le haut de la côte. Il boitait, il était vieux, et c'était l'homme le plus paresseux du monde. D'ailleurs, il n'avait aucun ami, et sûrement aucun endroit, aucune maison à visiter vers les hauts. La viande sur le poêle ? On voit bien que tu n'as jamais vu Callibran vivant. Il n'avait pas de dents, et de mémoire d'homme on ne l'a pas vu mâcher, encore moins cuire de la viande pour se nourrir... Cette viande est pour le chien, et pourquoi la faire cuire ? La déchirure de ton pantalon ne provient pas d'un mauvais saut par-dessus une clôture. Tu es trop jeune pour ces sortes d'accident. C'est le chien qui a fait ça...

— C'est sur la clôture ! Je ne mens pas ! Vous êtes fou ! Je n'ai pas tué Callibran !

— Pourquoi erres-tu comme un vagabond ? Tu as des choses à cacher ? Tu fuis la police ? Rien comme le ciel et le vent, et la route où s'enfuir pour cacher ses crimes ou ses fautes, ses craintes ou ses faiblesses...

— Je suis un errant parce que ça me plaît !

Ambroise s'en fut à la porte et resta là un bon moment à regarder monter la chaleur du jour.

— Remarque, dit-il au bout d'un temps, que tout ceci aurait pu être pire.

Il soupira, revint au centre de la pièce.

— Il te reste du temps, mais bien peu... Il y a du travail dans l'autre vallée. C'est la cueillette des fruits. Un dénommé Leblanc engage des mains ces jours-ci. Le salaire est bon et il y a du travail pour deux semaines à peu près. Je te conseille d'y aller.

— Mais...

— Quoi ?

— Vous venez de m'accuser d'avoir tué le vieux !

— Les apparences sont contre toi. Que cela te serve de leçon. Un policier serait entré ici, et en cinq minutes il en avait suffisamment contre toi pour te faire pendre !

— Je n'ai pas tué le vieux !

— Moi, je le sais...

— Ah ! oui ?

— Oui... Une question de... de bien connaître mes gens ici... Tu savais que le vieux était mort, n'est-ce pas ?

L'intrus inclina la tête.

— La raison pour laquelle je l'ai deviné, poursuivit Ambroise, c'est que la porte de cette chambre a toujours été ouverte. Maintenant elle est fermée. Tu es entré, tu as trouvé le vieux. Et comme tu es brave... non, pas brave, stupide un peu — la témérité de la jeunesse, disons — tu as décidé de rester un moment, de te faire cuire cette viande qui était sur l'armoire. Puis tu m'as entendu venir, la panique t'a pris...

— Qu'est-ce que vous voulez de moi, maintenant ?

— Rien... Pars, je t'ouvre la porte. Tu peux t'enfuir, tu n'es pas coupable... Le lait de la vache de Callibran n'a pas été tiré tôt ce matin. On t'a vu dans le village, toi, vers dix heures, pendant l'ondée. Pour venir ici, il fallait que tu passes dans la vallée. La vallée est en glaise rouge. Tu n'as pas de cette glaise sur tes bottes. C'est donc que tu es passé là bien après l'orage, au moment où tout était sec. Callibran a dû être tué cette nuit, puisqu'il n'a pas trait sa vache à six heures, comme d'habitude... Tu fais mieux de partir, de disparaître, avant que d'autres moins renseignés sur les agissements de Callibran ne t'accusent... Pars, va-t'en...

Quand le jeune eut quitté la maison, Ambroise Leclerc ouvrit la porte de la chambre et regarda un moment le cadavre de Callibran, tel qu'il l'avait laissé sur le lit, la nuit précédente.

Il eut un sourire triste et un moment il regretta de n'avoir pas laissé Ronald Kerwin être accusé de ce meurtre.

Mais il se reprit aussitôt et murmura, dans le silence de la maison :

— Avec mon cœur tendre, j'arriverai à me faire pendre...

Puis il haussa les épaules doucement :

— Après tout, conclut-il, je l'aurai bien mérité...

VICTOR, LE DRÔLE DE VOLEUR

Dans toute sa carrière de sergent de police, Origène Bellé n'avait jamais rencontré de bandit plus étonnant que ce Victor. D'ailleurs, il le disait...

« Oui, monsieur, ça, c'était un drôle d'homme. Un drôle de voleur ! J'en ai jamais rencontré de pareil. Pis ! imaginez qu'on est appelé à en rencontrer, nous autres, les policemen ! Des p'tits, des grands, des effrontés, des polis, des doux comme du velours, pis des durs comme la croûte de pain de ma défunte tante Anaïs !... Mais lui, jamais y'avait l'air bandit, avec ça. Vous l'auriez rencontré au coin de la rue, que vous y'auriez levé vot' chapeau ! Une vraie bonne face de gars. Pas grand, mince, le chapeau toujours aplomb sus la tête. Des lunettes de corne, le visage sérieux, une serviette de cuir au bout du bras... Parlez-moi de courir après un quelconque taon avec un record long de même, pis connu de tous les *stools pigeons* ! Ça, au moins, c'est facile à trouver. Mais Victor !... La première fois que j'ai eu connaissance de lui, c'est un samedi midi. J'sus appelé pour un hold-up, sur la rue. J'arrive... Hé, monsieur, c'était pas que la jolie excitation !... »

Une foule se pressait sur le trottoir, en effet. C'était l'heure de la sortie des bureaux, et à cette intersection, dès la commission du vol, plus de mille personnes s'étaient groupées, discutant, déplorant, raillant. À l'arrivée de la police, quelques saillies avaient fusé. On se serait cru au cirque.

— Rangez-vous, criait le sergent, faites-nous de la place !

Origène Bellé ne s'en faisait pas. Il avait l'habitude de ces curieux massés en cercle, autour du lieu d'un accident ou d'un crime. Il savait les mots à employer pour les impressionner.

— Rangez-vous ! On a d'l'ouvrage à faire icitte ! Mais si vous continuez à nous tasser de même, j'm'en vas chez nous, moi !

La victime se reconnaissait facilement. Elle était au franc milieu de la foule, et elle sanglotait nerveusement.

— Contez-nous ça, mademoiselle, lui dit le sergent Bellé. On est icitte pour vous aider. Prenez sus vous un p'tit brin... Vous vous êtes fait voler ?

— Oui, monsieur.

— Icitte, au coin de la rue ?

— Oui. Je revenais de la banque, avec la paye des employés de la fabrique où je travaille. Un homme m'a barré le chemin.

— Puis ?

— Il m'a dit, la voix polie : « Excusez-moi, mademoiselle. Ne criez pas, surtout. Je sais que vous avez mille sept cent trois dollars et quatorze cents dans cette enveloppe. Auriez-vous l'obligeance de me remettre trois cent cinquante-huit dollars immédiatement ? »

— Ah, ben, fit le sergent. Tu parles !

— Comme ce monsieur me tenait un revolver sous le nez, je lui ai compté trois cent cinquante-huit dollars immédiatement. Il s'est enfui, et là je me suis mise à crier...

Le vol était classique, et le voleur bien difficile à identifier en de telles circonstances. Beaucoup de témoins volontaires, certes, mais aucun à qui se fier. Ce qui étonnait surtout le sergent, c'était ce montant très exact. Mais là encore, en cette première fois, il n'y attacha pas trop d'importance. Le signalement était assez précis, mais ne correspondait à aucun voleur connu de la police. Bellé se contenta de préparer un rapport. Mais comment dénicher un voleur qui ne semble pas avoir de dossier judiciaire, surtout d'après de si maigres renseignements ? Des témoins disaient qu'il était parti vers la gauche, d'autres vers la droite. On le disait parti en taxi, et un homme affirmait l'avoir vu sauter dans un camion. Ça n'avançait pas le sergent du tout. Il rédigea son rapport.

« Le voleur c'ait anfui mistérieusement vair la gôche ou la droite, suivant le quas. Impossible de le dépisseter... »

Ça continuait ainsi pendant deux pages écrites péniblement.

L'affaire aurait pu être classée, mais le voleur continuait ses déprédations. À l'effet de bien décrire les événements, laissons parler le sergent Origène Bellé.

« Dans les deux mois après le premier vol, mon bandit — j'savais pas encore son nom à ce moment-là — mon voleur a commis vingt-sept vols, tout' dans l'même genre. Y demandait un montant précis. Chez Garnier, l'épicier, y'a demandé quarante-quatre piastres et soixante-cinq cennes. À la taverne Suprême, ça été soixante-seize piastres et quarante-trois cennes. Mais quand on a additionné tous les montants, on s'est aperçu qu'y avait volé dans deux mois exactement huit cents piastres. Une moyenne de cent piastres par semaine. Le salaire d'un bourgeois ordinaire. Oui, j'ai passé par des transes, moi. Les journaux riaient de la police, le chef parlait de m'forcer à démissionner si j'trouvais pas mon homme... Pis aucun renseignement, avec ça ! Les *stools pigeons* avaient aucune idée qui c'était que ce gars-là.

Dans les deux autres mois ensuite, même chose, encore huit cents piastres. Le gars lâchait pas sa moyenne de cent piastres par semaine. C'est la chance, la pure chance qui me l'a faite pincer... »

Le sergent Bellé doit des remerciements à sa femme. Même si, ce jour-là, il avait des envies féroces de l'assassiner.

C'était la journée de congé du brave Origène. Une journée bénie entre toutes. Pour lui, c'était sacré, le congé hebdomadaire. C'était une journée de pantoufles, de pipe et de bon fauteuil. Il se la coulait belle et douce.

Mais pour une fois, sa femme avait des idées différentes. Origène venait de dire, à la table du petit déjeuner :

— Ça fait donc du bien de se laisser relâcher les muscles une journée de temps...

Il avait bâillé profondément.

— ... oui, monsieur, un policeman, son jour de congé, y'a pas d'aut' place que dans la maison, à rien faire, les pieds étendus, le journal à la main... Une bonne pipée de tabac de temps en temps. Ouais...

Il s'était levé et, d'un pas lent et mesuré, il était allé s'allonger sur le divan dans le salon. Mais sa femme le rejoignit sans tarder.

— Origène, s'exclama-t-elle, dis-moi pas que t'es déjà allongé !

— Ben quiens ! Où c'est que tu voudrais que j'soye ? Après casser d'la pierre, au pénitencier, au gros soleil ?

— Non, non, mais donne pas l'idée que t'es rien qu'un paresseux !

— Paresseux ? Parce que j'me repose, mon jour de congé ?

Il s'était assis, en colère. Qu'avait donc sa femme,

ce matin-là ? Qu'est-ce que voulaient dire ces remarques désobligeantes ?

— Certainement, répéta-t-elle, paresseux ! Tu dors pas assez, la nuit ? T'as rien qu'à te coucher plus de bonne heure ! C'est honteux, un homme évaché comme tu l'es dans l'moment... Tâche de te secouer un petit peu !

Origène devint conciliant, en songeant que c'était un moyen de mieux savoir ce qui pouvait bien ronger sa femme.

— C'est correct, Adéline. As-tu une suggestion ? D'après toi, quoi c'est que j'devrais faire, mon jour de congé ?

— Tu devrais venir avec moi en ville.

— Aller en ville ? Quoi faire, en ville ?

— D'ailleurs, c'est décidé. J'ai besoin que tu viennes avec moi.

Origène regarda sa femme d'un air désespéré.

— Dis-moi pas que tu vas m'emmener faire du magasinage !

— Oui, je m'habille pour l'hiver aujourd'hui ; puis j'm'achète rien sans que t'aies donné ton goût.

— Ah ! écoute, écoute ! T'as pas besoin de moi !

Les poings sur les hanches, Adéline déclara :

— Tu vas venir avec moi, Origène Bellé, as-tu compris ?

Naturellement, Origène céda. Comment agir autrement ? Il accompagna donc sa douce moitié dans les divers magasins pour y voir robes et manteaux, jupons et chapeaux, souliers et gants, enfin toutes les hardes qui servent à l'enjolivement de la beauté féminine. Tous les attributs et attraits des filles d'Ève-la-Dangereuse. Origène Bellé, qui n'en était pas à ses premières visites en compagnie de sa femme à ces endroits, et depuis longtemps aguerri à ses ébats, contempla donc

169

d'un air cynique les douzaines d'atours essayés par sa femme et soumis à son approbation. Ils visitèrent beaucoup d'établissements.

Puis, alors qu'ils se trouvaient dans une petite échoppe de la rue Sainte-Catherine, un jeune homme entra. Bien mis, bonne mine, complet gris, de bonne coupe, chapeau de feutre bien appareillé au complet, cravate discrète. Le parfait exemple du garçon bien vêtu, en somme. Il portait une serviette de cuir au bout du bras.

D'un pas ferme, il se dirigea vers la caissière, une préposée toute souriante, qui lui dit d'un air gracieux :

— Oui, monsieur, qu'est-ce que je puis faire pour vous ?

— Excusez-moi, mademoiselle, dit le jeune homme en soulevant son chapeau, je sollicite un moment votre attention.

— Je vous en prie, monsieur.

Le jeune homme mit la main à son gousset et en sortit un revolver.

— Je suis navré de vous importuner, dit-il, mais c'est un hold-up. Veuillez me donner la somme exacte de trente-sept dollars et quatre-vingt-neuf cents. Prenez note : trente-sept dollars et quatre-vingt-neuf cents.

Du fauteuil où il était assis, Origène Bellé, qui avait tout entendu, bondit en criant :

— C'est lui, c'est not' voleur !

Après, ce fut le pandémonium parfait. Cris, bataille, meubles renversés... En quelques secondes, Origène détenait le voleur solidement, la radio-police était sur les lieux, et une demi-heure plus tard, triomphant, notre sergent remettait à son lieutenant le drôle de voleur.

— Lieutenant, le v'là votre homme ! Vous pouvez dire au chef pis aux journalistes que not' voleur, on l'tient. Oui, monsieur ! Le v'là !

Naturellement, on fit grand état de cette capture. Les journaux firent l'éloge d'Origène Bellé, et, dans des colonnes complètes, décrivirent encore une fois les activités de Victor, de Victor « le drôle de voleur », comme l'appelait Origène. Le surnom colla. Bientôt, tous les journaux appelaient ainsi ce voleur méthodique, qui avait si longtemps déjoué les filets de la police, si l'on peut nous permettre cette métaphore audacieuse.

Origène, cependant, n'était pas encore satisfait. La curiosité le rongeait. Pourquoi le voleur employait-il de telles méthodes ?

Il se décida à l'interroger dans sa cellule.

— On va s'parler, toi pis moi, mon jeune !

— Quelle sorte de conversation, répliqua Victor, peut-il exister entre un vulgaire sergent de police et un économiste ?

— Un écono... quoi ?

— ... miste.

— Pis tu me traites de... de... de vulgaire... ? Ah, ben, attends donc !

— Tut ! Tut ! Tut ! Du calme. Je suis votre prisonnier, c'est bien. Mais j'ai le droit d'exiger qu'on m'accorde le privilège de la méditation et du silence. Veuillez sortir, je vous prie.

Origène était hors de lui.

— Ben, t'as de l'audace, toi !

— Pas du tout, sergent. Aucune audace, répliqua calmement Victor. J'ai seulement une connaissance approfondie des lois humaines de l'économie, des sciences sociales et des facteurs psychologiques humains.

— Y'est fou !

— Rectifions, je ne le suis pas assez. D'ailleurs, l'homme intelligent, dont la pensée dépasse la moyenne supposée par le primaire, passe toujours pour fou auprès des ignorants. C'est, mon cher monsieur, la façon quasi obligatoire du génie.

— Un génie, hein ? Un génie...

Avec un rire doux, Victor continua.

— Oui, sergent, car tout est relatif. Devant vous, je suis un génie. Parce que mes actes sont prédéterminés par des barèmes que ni vous, sergent, ni moi n'avons inventés. Vous, évidemment, vous en étiez totalement incapable...

— Des barèmes... Aïe ! ça ressemble à un sacre, ça !

— Pardon ?

— Fais attention que j'te booke pas pour blasphème, en plus des hold-up...

— Sergent, dit Victor, d'une voix lasse, vous êtes un imbécile ! D'un côté, le sort que vous me réservez m'indiffère. J'avais calculé mes chances de réussite. Il appert qu'en ces entreprises l'inconnu sans dossier judiciaire n'a que six chances sur sept mille d'être découvert et arrêté. Il a malheureusement fallu que l'une de ces chances m'échût. Et pourtant, continua-t-il avec un soupir, je vivais heureux et satisfait.

— Le fait, dit le sergent, de voler à la piastre pis à la cenne, un montant exact de même, c'était-y calculé, ça aussi ?

— Ne me dites pas, sergent, que vous n'avez pas compris pourquoi je volais ainsi des montants absolument précis ?

— Comment, compris ? Comprendre quoi ?

Victor le regarda d'un air plein de pitié.

— Pauvre primitif ! Pauvre ignorant !

— Pas plus ignorant que toi, mon espèce de p'tit frais !

— C'était tellement clair, pourtant, tellement évident... Vous n'êtes pas sans savoir que l'équilibre économique est un mécanisme complexe. Nous sommes tous interdépendants. Ce qui affecte l'un affecte l'autre. Ce qui, dans l'économie, dérègle ou modifie l'équilibre dans une zone définie produira dans une autre zone —

la vôtre par exemple — un flottement économique. Comme j'ai fait des études approfondies en finances internationales, nationales et régionales, comme je connais à fond les divers facteurs et barèmes...

— Encore ?

— ... et influences commerciales, bancaires et humaines, j'ai pu calculer que, pour soutirer à un commerce une somme d'argent, il me fallait, pour protéger l'équilibre financier entre une zone et l'autre, ne demander qu'un montant fixe, régi par mes calculs. Pour ce faire, d'après la loi de la moyenne, que je tirais des statistiques annuelles pour la région, j'obtenais la proportion absolue des comptes de profits et pertes pour chaque entreprise. Je n'exigeais donc qu'un tiers du compte capital, tel que réparti sur la semaine courante. Ainsi, mon dernier vol, celui qui me valut mon arrestation, se chiffrait à trente-sept dollars et quatre-vingt-neuf cents, soit un tiers du profit net de ce magasin pour une semaine moyenne. De cette façon, tout en me procurant des revenus de base de cent dollars par semaine, avec un minimum de travail, je n'ébranlais nullement le système économique de ma zone, comme des zones adjacentes.

— Ouais ! hein ?

— Voilà !

— Ben, j'sais pas si ça va déranger l'économie de ben des zones, comme tu dis, conclut le sergent, qui avait écouté religieusement la tirade de Victor, mais te v'là pensionnaire de not' prison, pis m'est avis que tu vas y rester un sérieux de bout de temps !

Mais le sergent se trompait. Il se trompait grandement. Les prisons ne sont pas faites pour les génies. Personne n'avait songé que les prestigieuses mathématiques de Victor seraient un outil aussi efficace qu'une lime. Un matin, on trouva la cellule vide. Sur le lit, une feuille de papier couverte d'une écriture serrée. On y lisait ceci :

« D'après mes calculs algébriques, les leviers du mécanisme de la serrure à la porte de cette cellule s'abstiennent d'opérer une fois sur six cent mille. De plus, l'arc de la trajectoire ne compte pas, c'est seulement l'impulsion du début. Ainsi, en bougeant légèrement la poignée un nombre de fois suffisant, le levier d'arrêt devrait se dégager au moins une fois sur six cent mille. À raison de trois mouvements à la seconde, cela signifie 10 800 fois à l'heure. En soixante heures, plus ou moins, et, sans qu'il y paraisse, je pouvais ouvrir la porte. Le sort a voulu que j'atteigne au jeu libre de la serrure à la quatre-vingt-sept millième fois. La porte étant ouverte, je vous dis donc adieu. Et comme je procéderai maintenant suivant des calculs et un plan tout à fait différents, je suis sûr de n'avoir pas à vous dire au revoir. Dans ma nouvelle carrière criminelle, les chances d'arrestation ne sont que de une sur neuf millions. Nous ne nous reverrons probablement pas. Et j'en suis vraiment navré, parce que vous me sembliez de braves gens. »

Et c'était signé : *Victor.*

L'ILE DÉSERTE

C'est bien par hasard, je vous assure, que l'identité de la fille sur l'île fut découverte. Et découvert aussi le nom du coupable. Mais le hasard est comme ça. Et c'est la preuve que rares sont les crimes restés vraiment sans solution.

Celui-là, en tout cas, n'est pas resté sans solution. Et si François Laurion n'avait pas décidé, un certain jour de juillet d'il y a quatre ans, d'aller sur cette île plutôt que sur une autre...

C'était un lac du Nord. Pas un lac connu et fréquenté, mais un fort beau lac, malheureusement situé trop loin pour être facilement visité par les touristes ou les villégiateurs.

François Laurion, lui, ne craignait pas la solitude, et la distance entre ce lac et la ville était une attirance plutôt qu'une raison de le négliger. François y trouvait là justement cette paix rêvée. Il s'était construit un camp de bois rond. Il y vivait de fort belles journées à chaque début d'automne.

Un jour, en canot, il aborda sur l'une des îles. Le lac était parsemé de jolies îles, dont la plupart étaient d'impénétrables taillis.

Celle-là, cependant, était plus accueillante. Elle était très loin du camp de François, mais il aimait la douce quiétude qui semblait s'en dégager.

François aborda donc dans cette île, et s'allongea sur une toute petite grève de sable fin et tiède. Plusieurs fois, pendant son repos, il eut la nette sensation qu'il n'était pas seul, que quelqu'un l'observait. Il rabroua son imagination, et vers quatre heures, il remit son canot à l'eau. Le lendemain, il y retourna et, cette fois, la sensation fut plus forte encore. D'un bond, il fut sur pied et se lança vers les broussailles bordant la grève. Il ne trouva rien, mais il crut entendre une fuite, non loin, dans les branchages.

Il chercha, sans cependant s'aventurer trop loin de la grève, car son canot n'était pas amarré, et il craignait de se faire jouer quelque vilain tour par cette présence... Il pouvait y avoir là un Indien jaloux de sa solitude et ne désirant pas être importuné...

Comme l'île était très loin de son camp, et qu'il ne la voyait pas du tout, François épia bien en vain ce soir-là, espérant voir la lueur d'un feu de bivouac. Mais vers minuit, il entendit un cri de terreur, puis un autre, ressemblant à une plainte. Le son lui parvint en écho sur le lac calme. Le temps était lourd, à l'orage, les bruits, cent fois amplifiés. Un moment, François crut bon voguer en canot vers le cri, mais un instinct lui dicta que ce pouvait être un piège. Il se coucha donc, mais dormit peu.

Au matin, il avironna rapidement vers l'île et, cette fois, il cacha son canot et fouilla l'endroit en tout sens. Il découvrit le petit camp— plus un abri qu'un camp — en quelques minutes. Dans le camp, sur un sac de couchage, le cadavre d'une fort jolie jeune fille. Elle était morte depuis quelques heures à peine.

Pour abréger, disons que François se mit en route aussitôt, pour aller avertir les autorités. Le soir du même jour, vers huit heures, la police avait envahi l'île, des chaloupes à moteur assuraient le service entre l'île et la terre ferme. L'affaire promettait d'être sensationnelle. On identifia la morte rapidement. Une rapide enquête par téléphone au plus proche village permit d'établir que cette fille de millionnaire ontarien était une excentrique, désireuse de solitude, et qu'elle vivait ainsi des semaines à la fois, sur cette île, qui lui appartenait d'ailleurs.

Cela expliquait qu'elle se fût cachée de François, lorsqu'il aborda dans son domaine.

Mais le crime ? Qui l'avait commis ? Pourquoi ?

Ce fut François qui trouva la solution. Alors que la police semblait indécise et en restait là de son enquête, François, en quelques mots, découvrit le pot aux roses.

Barbara Lytton avait été tuée rapidement. Par strangulation. Son meurtrier l'avait tout bonnement étouffée à mains nues. Selon les empreintes, de larges et solides mains. Il n'y avait, semblait-il, aucun mobile positif.

Barbara possédait de nombreux ennemis, c'était admis par son père, par son frère, et même par son fiancé. Mais personne, sauf son père, sauf son frère, sauf son fiancé, Albert Smith, ne savait où se trouvait cette retraite, cette île où Barbara aimait venir passer des périodes solitaires.

Grâce à ce qui semblait des alibis assez sérieux, ou une absence si complète d'alibi que l'innocence éclatait par le fait même, les trois hommes pouvaient être exonérés.

Et d'ailleurs, qui, parmi ces trois hommes, aurait eu un mobile de tuer Barbara ?

La police enquêtait à Toronto, mais les rapports reçus par téléphone ne semblaient pas très concluants.

Pour François, cependant, se dessinait une théorie qui ne semblait pas plus bête qu'une autre.

Et il lui plut particulièrement qu'au bout de la deuxième journée de l'investigation policière, le camion-laboratoire arrivât sur les lieux. La présence réconfortante de ce véhicule stationné sur le chemin de bordure du lac lui donna la hardiesse de proposer sa théorie au sergent en charge de l'enquête. Au début, l'on n'écouta pas tellement ce qu'il avait à dire.

Mais la logique de son raisonnement vint à percer, et quand le sergent se convainquit enfin que François pouvait avoir raison, les événements se précipitèrent.

Tout tenait à des faits épars, mais qui constituaient pour François, habitué à la vie de la forêt, des indices presque certains.

— Tout ce qui manquerait, affirmait-il au sergent, ce sont deux ou trois essais dans votre laboratoire roulant.

Il y avait tout d'abord le feu de bivouac trouvé sur l'île voisine de celle où avait été tuée Barbara. François ne l'avait pas fait. Et pourtant les traces en étaient fraîches. Ce feu était récent. François l'affirmait au sergent. C'était un feu de bouleau. Il avait été fait dans une sorte de trou, une concavité du terrain. Les morceaux de bois étaient gros. Ils n'étaient qu'à moitié brûlés. De plus, il était fait face au vent, et tout près des broussailles. Cela constituait une image parfaite pour François. La pince du canot avait laissé une large marque dans le sable. La trace passait tout à côté d'une roche acérée.

Sur le cou de la victime, en plus des traces de doigts, traces d'ailleurs tout à fait indistinctes, il y avait une longue marque noire, grasse.

— Comprenez-vous maintenant ? avait dit François au sergent. Le feu a été allumé dans le vent, près des broussailles, sans prendre garde au danger de feu de brousse à ce temps-ci de l'année. Les morceaux de bois étaient gros, ils ont brûlé difficilement. Le canot a été tiré à la façon d'un amateur, en risquant de déchirer la toile sur une roche pointue. Et comme le feu était de bouleau, si vous faites des essais, vous découvrirez que la marque grasse sur le cou de la victime provient de la cendre de bouleau, qui est noire et grasse, surtout celle de l'écorce. Quelqu'un de la ville, que Barbara connaissait, puisqu'il s'est caché sur l'autre île en attendant le moment de la tuer, a passé près de détruire son canot, a allumé un mauvais feu d'amateur, un feu dangereux. Il s'est noirci les mains. Et cela a sali le cou de la victime. Faites des essais, vous verrez bien.

Au laboratoire, les traces noires se révélèrent de la suie de bouleau, en effet.

Le sergent exultait.

— Nous arrivons au but, dit-il. Ça va marcher, maintenant.

François l'arrêta d'un sourire.

— Vous approchez encore plus que vous ne le croyez. Songez au peu de facilités d'hygiène ici. Celui qui a tué a pu se laver les mains. Je doute qu'il ait pu se nettoyer les ongles à fond. Il aura de la suie de bouleau sous les ongles. Si j'étais à votre place, je ferais un examen des mains.

— Vous croyez que le meurtrier est encore ici ? demanda le sergent.

— Je le crois, oui, admit François. Quelque chose, une intuition... Questionnez... Si vous aimez que je le fasse... Il s'agit de savoir, de l'entourage de Barbara rendu ici pour l'enquête, qui ne connaît pas le bois.

Ce fut rapide et simple. Le père de Barbara était un grand chasseur. Son frère aussi. Son fiancé ne connaissait rien aux choses de la forêt. Il avait de la cendre de bouleau sous les ongles. Et de plus, ses traces de doigts correspondaient très étroitement aux traces de strangulation sur le cou de la victime.

D'ailleurs, il avoua tout. Il avait une autre amie. Barbara ne voulait pas le libérer de ses fiançailles. *Et cœtera*, serait-on tenté de dire, assez logiquement.

ACHEVÉ   D'IMPRIMER
EN   AVRIL   1981
SUR LES PRESSES DE
PAYETTE & SIMMS INC.
À SAINT-LAMBERT, P.Q.